ちくま新書

会社の値段

森生 明
Morio Akira

581

会社の値段【目次】

章トビライラスト＝市川智子

はじめに——会社の値段がわかると世の中が見えてくる

私は、二〇年ほど前、留学中に米国の企業買収の世界に触れたことがきっかけとなり、以後、企業価値の算定やＭ＆Ａの世界で仕事をしてきました。「どういう仕事をしているのですか？」と訊《き》かれれば、

「企業価値を算定したりＭ＆Ａのアドバイスをしたりしています」

と答えていました。こう自己紹介すると昔は大抵、耳よりなインサイダー情報を持っていると期待され、「じゃあどの株が儲かるのか教えてくれ」と訊かれたものです。Ｍ＆Ａという用語が、Mergers（合併）＆ Acquisitions（買収）という英語の略であることを説明し、Ｍ＆Ａのアドバイザーというのは、会社の中身を調べて値段を算定して企業の合併や買収の交渉をする仕事です、と説明すると、今度は、

「企業を買収しちゃうなんて、なんだかぶっそうな仕事だね」

と眉をひそめられたものでした。

会社を運命共同体、人々が助け合い生活を支えあう場、ととらえる伝統的な日本の会社

観からは、会社を買収しようとする人間は村を襲撃する山賊のように映ります。会社の財産は村びとが冬に備えて蓄積してきた食料で、買収者はそれを横取りしに来る、そんな構図を思い浮かべる人も多くいるでしょう。だとすると、会社の中身をあれこれ詮索して値段をつけて売り買いするのを助ける仕事は、山賊の手先が村の蓄えを調べまわるようなもので道徳的によろしくない、と言いたくなる気持ちもわかります。実際のところひと昔前は、そのように強引な買収を仕掛ける人の中には、会社の資産を売り払い社員の首切りをして安易な金儲けをしようとする人や、「会社を乗っ取るぞ」と脅しをかけて高値で株式を引き取らせることを狙っている人が多くいました。そこから、「会社の買収＝会社の乗っ取り＝人の道をはずれた強欲な人間のやること」という構図が、多くの人の頭にインプットされてしまった面もあります。そもそも、会社を買う行為を「買収」という犯罪用語と同じ呼び名にしてしまったことが、偏見の始まりなのかもしれません。

ところが最近では、M&Aはすっかり日常用語となりました。企業買収というと拒否反応を示す人は相変わらず多くいますが、M&Aが、会社中心の日本社会において避けては通れないトピックであり、ひとりひとりの人生設計に大きな影響を及ぼす出来事として受け取られるようになってきたことは事実です。株主価値についての議論が堂々と展開されるようになったこと、外資系、日系、政府系を問わず、経営者を交代させて事業を再生し売却して利益をあげるケースが出てきたこと、には隔世の感があります。

「M&A」だけではありません。ここ一年ほどの間で、急に「企業価値」「事業再生」「ハゲタカファンド」「株式上場廃止」……こんな言葉が新聞・テレビで毎日飛び交う世の中になりました。

そして、これらの言葉は、ただ一時的に流行しているだけではない、日本の社会・経済の大きな変化を表しているのだ、と私には感じられます。小泉内閣の「構造改革」「民営化」の流れと、「銀行再編」「不良債権処理」「デフレ」という動き、さらに遡《さかのぼ》って「バブル経済の崩壊」という出来事と、「企業売買」の話は、根がつながっています。

現代日本を賑《にぎ》わせているこれらの出来事の背景や理由は、「会社の値段」を軸にして考えることによって、全てすっきりと見えてくるのです。それが、この本を書こうと考えたきっかけです。

この本では以下の順序で、話を進めていきたいと思います。

まずは、会社に値段をつけて自由に売り買いできるようにすることが、世の中を便利で豊かにするための大切な原動力であることを説明します。

次に、ではどうやってその値段を算定するのか、という疑問に取り組みます。そうすると、昨今世の中を騒がせている「M&A」や「投資ファンド」の活動の意味と仕組みがわかるようになります。

その上で、「金が全て」という拝金主義的な考えにどこでどう歯止めをかけるべきなのか、欧米的な手法と日本的な良さとの間にどう折り合いをつけられるのか、という問題を考えます。

企業価値の算定やM&Aは、実際には複雑な数式や会計知識が必要な世界ですが、それらのテクニック面には深入りせず、「なぜそうなるのか、そうするのか」という素朴な疑問に、歴史的背景や世の中の移り変わりの脈絡や具体的な事例を引きながら答える「読み物」となるよう心がけました。国民ひとりひとりの「教養」としては、細かいテクニックより、大雑把ではあっても、その本質を押さえておくことの方がずっと重要だと思うからです。

また、企業価値算定やM&Aの話題は、とかく「米国的、外資系的」な発想や手法と「日本的」なものとの対立、どちらが良いか悪いか、という議論になりがちです。しかしあまり表面的な「日本 vs 米国」的構図にとらわれると物事の本質を見誤る、と私は感じています。この本ではいわゆる「米国的」な考え方を「日本的な頭と心」で理解できるように説明し、その上で、「では、日本的とは実際にどういうことなのか」を改めて考えるための材料を提供したいと思っています。

第一章

なぜ会社に値段をつけるのか

†会社の役割

日本は「会社中心の社会」だと言われますが、会社というのは商法の規定にしたがって設立される「仕組み」であり「器」にすぎません。あくまでも主役は会社を構成する多くの個人であり、会社は社会がより豊かになり、そこに住む人々が幸せになるための道具であるはずです。

しかし、戦後の日本では会社は実在の生き物であるかのように扱われてきました。終身雇用制の下、寮や社宅で生活を共にした社員が困れば会社が手を差し伸べるのが当たり前、という環境の下で日本経済は発展しました。そこから、会社が栄えることが社員およびその家族の喜びになり、会社のために自己を犠牲にするのが善であるかのような本末転倒した発想が生まれてきました。会社に帰属していれば安心ですが、その傘の下から離れる、あるいは逆に傘の下に途中から入れてもらう、というのはとても難しく、会社抜きの一匹狼では人生設計が立てられない。そんな感覚を、多くの日本人サラリーマンとその家族たちは植えつけられて生きてきたところがありました。

このため、会社に値段をつけて売り買いの対象にするという発想は、共同体のメンバーにとっては大きな違和感のものとなりがちです。しかし、最初に述べたとおり、**そもそも**

会社は個人が豊かに幸せになるための仕組みであり道具だ、と割り切って考えることも必要です。会社を売り買いすることそれ自体を反社会的行為だという主張は、会社によって自分が守られている、会社の財産はそのために使って構わない、と思い込んでいる人たちの作りあげた幻想である場合も多いのです。その思い込みを能力不足の経営者が保身の口実として使っている事例は、結構多くあります。

†株式上場もM&Aも中身は同じ

会社に値段をつけて売り買いする、というと抵抗感の強い人たちも、会社の株式公開についてはとやかく言わないようです。それどころか、M&Aに反発する人が、会社の株式を証券取引所に上場することは会社創業者の最高の栄誉でありいい経営者の証だ、と褒め上げる姿をよく目にします。

しかし、ちょっと考えてみるとこれはおかしな話です。**会社に値段をつけて売り買いする、という意味では株式の上場・公開もM&Aも変わりません。**

会社に値段をつけるというとき、それは会社の株式に値段をつけるという意味です。会社を売るといっても、別に社員を牛の群れのように扱って値札をつけて売るわけではありません。売り買いするのは通常その会社の株式です。M&Aとはその会社の株式をまとめてある特定の相手に売ること、株式公開とは会社の株式を小口にばらして不特定多数の投資家に売ること。どちらも会社に、その株式に、値段をつけることに違いはないのです。

ではなぜ、M&Aと株式公開で世間のウケがこれほどまでに違うのでしょうか？　その理由を突き詰めてゆくと、昨今の上場会社経営者が企業防衛にやっきになる背景が見えてきます。つまり、M&Aと会社を上場することが本質的に違う、という世間の思い込みがそもそも間違っていたのです。

株式を上場・公開する大きな理由は、資金調達です。株式公開の本来の趣旨からすると、株式公開に際して創業者が自分の持ち株を売って金儲けをする、というのはあまり推奨される行為ではありません（その理由は第六章で説明します）。会社が新たに株券を印刷してそれを一般の投資家に買ってもらう、そうして集めた資金を使ってさらに会社を拡大成長させる、これが世の中の発展に貢献する株式公開のそもそものありかたです。経営者に対する信頼があるからこそ、単なる紙切れである株券に値段がつくのです。その意味で、株式公開を果たした企業経営者が賞賛されることには、正当な理由があります。

それに対してM&Aで会社を売る場合は、経営の支配権が移る、といわれています。今の経営者に株主が満足していないときに、その会社には今より価値があると考える買い手がその株式をまとめて買い取る、これがM&Aの真髄です。ここまでの説明だと、やはり上場する会社はいい会社でM&Aされる会社はダメな会社だ、ということになります。

しかし、株式を上場した会社とは決して優良会社として「ゴールイン」した会社ではありません。上場したその日から、会社は株式市場で常に投資家の評価にさらされ、会社の値段を株価という形でつけられ続けます。不特定多数の投資家が小口化された株式を売り買いする際につける値段は、現経営陣が経営する会社としての値段です。

ところが、ある特定の会社や人にとってその会社が魅力的な存在となる場合、その会社（人）は市場で流通している株式を全て買い集めて経営陣を入れ替えることができます。こうなると、それはM&A活動です。つまり、**会社を上場公開し、不特定多数の投資家が売り買いできる状態にした以上、その時点で会社は売られたことになる**のです。会社の経営者が株式を上場して、誰でも市場で株を買えるようにして資金調達をしておきながら、その株を特定の人が買い集めるかもしれないという覚悟ができていなかったとしたら、株式を公開するということの意味を甘く考えていた自分の浅はかさを恥じるべきではないかと思います。株式を公開することと、会社を売ることとは、その本質において違いはないのです。

†反対者の言い分①——会社は安易な金儲けのネタではない

そうはいっても、会社に値段をつけて赤の他人が勝手に売り買いすることに反発する気持ちは消えません。会社が売り物になることによって、会社の経営も社員の生活も振り回されてしまいます。会社が蜂の巣をつついたような大騒ぎになり、騒動が終わってみると何も生産的な活動が行われないまま一部の人たちが金儲けをしている。会社を売り買いすることはそういう「虚業」の人たちを肥やすだけだ、という主張には説得力があります。

会社の経営者や社員は、事業を通じて社会に価値を提供し世の中を豊かにしていく大きな役割を担っています。にもかかわらず、M&Aに巻き込まれて経営権を巡る戦いに気力体力を消耗してしまい、挙句《あげく》の果てに会社が買収されてリストラされてしまうかもしれないとしたら、ずいぶん割に合わない役回りです。それを尻目に○○ファンドの投資家、アドバイザー、金融機関というような、物づくりに直接携《たずさ》わらない人たちの方が金銭的に潤《うるお》ってゆくように見えます。これでは、日本はどんどんマネーゲームに流されてしまい、額に汗して地道に物を作りサービスを提供する仕事につくのがバカバカしくなる社会になってしまうのではなかろうか。

こんな不安と不満を感じているサラリーマンや事業経営者の多くは、きっとこう言うでしょう。
「そもそも会社に値段をつけるから、世の中がカジノのようにおかしくなってしまった」と。

†反対者の言い分②――バブル長者は勤勉日本人の敵

地道に誠実に働き、毎月の給料で生活をやりくりし、やっと手にいれたマイホームには住宅ローンがついてきて向こう三〇年間返済に追われる……。このような生活を続けている人々にとって、腹立たしいのは企業買収にかかわる金儲けのケースだけではありません。会社の株式公開によって、若者が一瞬のうちに億単位の金を手にすることができる現実も、やるせない気持ちを助長します。

事業としての実体も実績もないいわゆるベンチャー企業が、株式を上場・公開し、その際に創業メンバーが自分の持ち株を市場で売却して大金を手にする、このような光景が、二〇〇〇年のいわゆるＩＴバブルの頃によく見られました。「バブル」という名の通り、そのお祭り騒ぎはほどなく沈静化し、高い値段で株式を買った人たちは、大金持ちになる夢のかわりに巨額の含み損を抱えて悪夢をみるハメに陥りました。しかし、だからといってＩＴベンチャー企業の創業者たちは、株の売却で手に入れた大金を誰かに返さなければならないわけではありません。会社がその後ボロボロになり株価が見る影もなく低迷しても、創業者たちはさっさと会社経営から引退し、手にした大金で豪邸に住み悠々自適に暮らしていたりするのです。

敗戦から今日の経済的豊かさの実現まで、多くの日本人は我慢と苦労を重ねてきました。その苦労を知らない若者が、ちょっとした才覚と株式市場の仕組みをうまく利用して大金をあっさり手に入れ、時代のヒーローであるかのように扱われる、そんな姿をテレビで見せつけられるのは、長年真面目にこつこつ働いてきた親として困ったものです。「地道にこつこつ働いていれば幸せな未来が開けるから」と忍耐と粘り強さの大切さを説いてみても、子供に「それだけ我慢してもこの程度じゃやる気が起こらないなー、ＩＴベンチャーの若い人の方が金持ちだしテレビにも出て格好いいし」といわれれば、返す言葉を失ってしまいます。

本当は、株式を上場公開すればすぐに大金持ちになれるという幻想を、メディアが無責任に広めて世の中の拝金主義を助長していることにこそ問題があるのでしょう。それにしても、株式公開という「錬金術」がなぜ社会にとって必要なのか、こういう仕組みは、ごく一部の大金持ちと残り大多数の不満な一般人を生み出すだけではないか、という疑問は消えません。かくして、

「会社に値段をつけることは日本人古来の質素、勤勉の美徳を損ない拝金主義への道を開く」

という反対の声が沸きあがってくるわけです。この意見もごもっとも、と感じる読者も多いでしょう。

†資本主義とは会社に値段をつけること――株式会社と資本主義の誕生

会社に値段をつけて売り買いできるようにするという仕組みは、なぜ良いことなのか？これは資本主義、あるいは自由市場主義がいい経済システムなのか、という疑問と同じです。**なぜ、資本主義が会社に値段をつける仕組みを生み出したのでしょうか？** 簡単に説明すると、こういうことになります。

いつの世も、大きな仕事をしたい、世の中を変えるような新しいモノを生み出して尊敬される人物になりたい、という野心家は存在します。そういう夢をもつことは良いことです。こういう人たちを**起業家**、英語で**アントレプレナー（entrepreneur）**といいます。彼らがその夢を実現するには資金が必要です。

しかし、自分の手持ちの金だけでは大きな事業は起こせません。そこでお金持ちに頼んでカネを出してもらいます。いわゆるパトロンですね。コロンブスはアメリカ大陸到達の旅にでるための資金を、スペイン国王という金持ちパトロンに出してもらいました。気前のいいパトロンを見つけられない場合は、誰かから借金をするという方法があります。ところが、借金は返さなければなりません。その事業が絶対成功するのであればよいのですが、失敗した場合も借金は残ります。自分の家も親族の財産もその返済のために差し出さなければならないとしたら、かなりの向こう見ずでもなければ事業を興《おこ》すこと自体をためらうでしょう。

そこで編み出された仕組みが**株式会社**です。これは、人間ではないのにヒトであるかのように取引の主体になれる存在です。事業が失敗しても、会社が破産するだけで会社の社長個人の財産までとりあげられることがないように、責任の主体を切り離す方法です。起業家は最初に資本金として会社にカネを出し、その会社の株式を受け取ります。この**株式は、①会社の経営に参画する権利と、②事業が成功した場合その利益の配分にあずかる権利、の二つを持つ権利証**です。事業が成功すると、その利益は株式の所有割合に応じて株主が受け取ります。起業家社長がひとりで作った会社であれば社長が利益を独り占めしますし、友人やパトロンにも出資してもらえばその出資比率に応じて皆で山分けするのです。誰がどれだけの配分になるか、後でもめないよう出資した時点ではっきりさせておくために、株式という権利証を発行しておくのです。

株式による責任の分離という仕組みは、事業が成功した場合の山分けルールとしても大切ですが、事業がうまくいかなかった場合のルールの方にむしろ大きな意味があります。事業が失敗した場合には、その株式は紙くずになって株主には何も返ってきません。しかし、そこで重要なのは、**自分が出資した金額以上には責任を負わずにすむ**ということです。自分や家族の家、財産まで差し出して責任をとる必要はありません。これを**株式会社の有限責任原則**といいます。この株式会社、あるいは有限責任原則のおかげで、失敗のリスクの高い事業にも起業家やパトロンは取り組みやすくなり、大胆な事業にリスクを冒して挑むことができるようになりました。

この株式会社という仕組みは、さらに次の二つの効果をもたらして事業資金を集める力を増してゆきます。

ひとつは、**株式会社自体が借金をできるようになる**という効果です。日本の中小企業オーナーは、実際のところ個人財産で借金返済の保証をしなければなかなか銀行から金を借りられないようですが、それでは株式会社を作る意味はあまりありません。起業家とパトロンたちは株式を買うという形で事業資金を出資し、それを元手に会社は銀行から金を借り、いわば「他人のカネ」でより大きな事業ができるようになります。これを金融用語で、**レバレッジ**をかける、といいます。レバレッジとは、「梃子《てこ》」という意味です。株式会社を通じて借金することにより、自分の少ない手金を梃子にして、自宅を担保に差し入れる必要もなく、その資金の何倍ものカネを借金できるようになりました。

もうひとつは、**会社の持分を株式という形で小口化、細分化することによって、パトロンほどの大金持ちでなくてもその事業に資金参加できるようになる**、という効果です。小口化してひと口の金額を小さくすることによって、より多くの小金持ちから広くカネを集めることができるようになり、より巨額の資金を集めることが可能になりました。

†公開株式市場への発展

こうしてリスクのある事業にも小口で気軽に参加できる仕掛けができあがると、次に必要となってくるのは、**株式の流動性**でした。起業家の志に共感してリスク覚悟で出資したとしても、その後にいろいろな事情で「やっぱり返して欲しい」と言いたくなることもあるでしょう。しかし、株式は紙くずになることを覚悟で返す必要のない資金を集める方法ですから、会社も「はいそうですか」と返還に応じることはできません。食いつぶしても構わない資本金があるがゆえに銀行はカネを貸してくれるわけですから、借金した後でその会社の資本金が株主に返されて減ってしまったのではたまりません。

では、どうすればよいか？　その株式を他人に譲る、売ることができるようにすればよいのですね。その会社に遅ればせながら投資したい、と思う別の小金持ちが現れたら、その株式を持っていて売りたがっている人を見つけて買えるようにすれば、売り手も買い手もハッピーになります。こうして、「売りたし買いたしの出会いの場」として**株式市場**ができあがりました。そこでは、誰がどんな会社の株式をいくらで売りたいかが掲示され、買いたい人は手を挙げればその値段で買えるようになっています。その市場に行けば、自分の持っている株式を売ることも、見ず知らずの人から欲しい株を買うこともできるようになります。**公開株式市場**、いわゆる**証券取引所**の誕生です。

こうして、大きな事業を興すために株式会社はうってつけの仕組みとして利用されるようになり、大富豪の下に生まれなくとも起業家精神に富む人たちが一攫千金の夢を追えるようになりました。株式会社制度は有限責任の原則に基づいて、銀行から思い切った借金をできる道を開き、株式を小口化することによって使い道のない富を持っている人が事業に参画できるようになり、さらには公開株式市場を通じて、株式は不特定多数の人たちの間を転々流通できるようになり、誰でもこの起業ゲームに参加できるようになりました。

このように、会社の経営に参画する権利と利益の配分を受ける権利を細分化して市場で売り買いできるようにする、つまり、**会社に値段をつけて誰でも買えるようにすることが、社会を革新する新たな事業、産業を生み出してゆく活力の源となる**のです。資本主義経済、自由市場経済の社会は、会社に値段をつけることと切っても切れない関係にあることがおわかりいただけたでしょうか。

†会社に値段がつくフェアな社会——ホリエモン発言の真意

二〇〇五年春にニッポン放送株をいきなり買い占めて、フジテレビに業務提携を迫ったライブドア社長・堀江貴文氏のやり方に反発する人の言い分として、彼の言動に傲慢さを感じるという理由があります。その最たるものが、

「世の中カネがすべて、カネで買えないものはない」

という発言です。「テレビコマーシャルで『お金で買えないものがある』って言っているけれど、これは嘘で、そんなものあるかよ、カッコつけてるんじゃねえよっていう話なんですよ」と答えているインタビュー記事を読むと、たしかに嫌な奴、あるいは心の貧しい環境で育ったみたいで可哀想だな、と感じる人も多いでしょう。

ただ、その発言部分を切り出して誇張するだけでは彼の真意を摑み損ねるのではないか、とも私は思います。その前後で彼はこう言っています。

「私はお金はフェアだということを言いたいんです。どんなものにも値段はついていて、人の命にすら値段はついている。逆にいうとそれほどフェアな指標ですよ、ということな

んです。お金というものは人間が発明したものの中で、一番の発明だと思います」

「本当はお金で買えないものがあってはいけないはずなんです。だってお金で買えない価値があるように見せるからこそ、既得権益であったり権力であったり、いろんなものを生んじゃうんですよ。……お金以外の尺度があるとしたら、そこに参入障壁ができちゃうんですよ。バカだったからダメだとか、家柄が悪かったからダメだとか、身分が低かったからダメだとか、肌の色が違うからダメだとか。それって差別じゃないですか」

こう言われれば、なるほどと思う人も多いでしょう。堀江社長の言っていることは、頭では理解できる。でも、何もかもを金額だけを尺度として判断することで、世の中が幸せに、明るくなるものだとは感じない。このような「割り切れなさ」をどう説明すればよいのでしょう？

†カネさえあれば何でも手にはいる、でいいの？

この議論については、お金以外のフェアな尺度を探そうとするよりも、一度、堀江社長の土俵に乗ってしまったほうが話がよく見えてくるかもしれません。芸術、美術の世界を例にとって、カネで何でも手に入る世界について考えてみましょう。

ピカソの絵に何十億円という価値があるのはなぜでしょうか？　一九八〇年後半のバブ

ル時代、日本人や日本企業は多くの美術品に法外な値段をつけて買い漁《あさ》ったといわれています。しかし、その一〇〇年前、欧米の金持ちはそのようなカネを払わずにエジプトやアジアから美術品を持ち帰りました。それがいま大英博物館やメトロポリタン美術館に飾られています。同じように、なにかの理由で金持ちになった人が、金儲け目的ではなく純粋に美しいものを多くの人に見てもらいたい、という動機でたくさんの金を使って立派な美術館を作り、名画を世界中から買い集めたとしたら、それは悪いことではないはずです。他の美術館の人たちは、「金にモノを言わせて我々が欲しい美術品を強奪していった」と非難したくなるでしょう。しかし、成り金富豪が美術品の価値をわからず法外な金額を払ったとしても、それを非難する必要はありません。そのお金を受け取った人、つまり美術品の売り手、がそのお金で貧しい人たちのための学校を建てたり、病院を作ったりしたとしたら、バカな値段をつけて美術品を買ったお金持ちは、間接的であれ世のため、人のためによいことをしたことになります。

「金は天下の回りもの」とは、よくいったものです。貯めこむだけが能じゃない、やみくもに使えばいいというものでもない、その使い方の巧拙が、人を評価する尺度になります。「金で買えないものはない」は金持ちのセリフです。たぶん、欲しいものを手に入れるために普通の人より高い値段をより簡単に支払うでしょう。バーゲンセールまで待ったりはしないのです。しかし、金持ちが、「あなたのことは好きではないので売りたくない」と言う人から無理矢理なにかを手に入れるためには、法外な金額を提示しなければなりません。肝心なのは、金で買えないものがあるかないかではなく、価値のないものにおバカな値段をつけて買ってはいないか、です。ものの値段をわからずに買い物をすれば、最終的にその人が損をするだけのことです。

お金を全ての尺度にすることによって、そう簡単に身分や人種による差別がなくなるわけではありません。しかしながら、それによって不合理さが数値で表現され、フェアな競争のベースができるようになります。差別のある世界は、それがない世界より無駄が多くなったり理不尽なことがまかり通ったりします。**ものに値段をつけて売り買いの実態を明らかにすることにより、その不合理な現実が他人の目にもはっきり見えるようになる、不当なことがやりにくくなる、**その効果が重要なのです。時間がたつにつれ、差別のない社会のほうがより活力ある魅力的な社会を生み出す、それは経済成長率とか国内総生産（GDP）のような金額と数字で客観的に比べられるようになる、それがフェアなやりかただ、という堀江社長の意見はごもっともだと思います。

誰かがカネにものをいわせて法外な値段で何かを買ったからといって、それは目くじらたてて怒ったり、「最近の若者は信じられないことを平気でやる」と価値観のギャップに悩んだりするほどの話ではありません（もちろん、ルールを破ってずるい方法で手に入れたとしたらそれは当然問題にすべきでしょうが）。「金で買えないものはない」と豪語している人が本当に価値を生んでいるか、をより客観的に判断しやすくなるのはいいことです。強引に手にいれた会社が高くついたか割安のお買い得だったか、はいずれフェアな形で数字となって表れ、自分にはね返って来ます。

†日本企業によるアメリカ買いの顚末

一九八〇年代の後半に、日本は、アメリカからカネに任せて会社を買い漁る困った存在だと見られていた時期がありました。ソニーがコロンビアピクチャーズという映画会社を買収し、ブリヂストンがファイアストンという米国を代表するタイヤメーカーを買収しました。他にも、有名ホテル、ゴルフ場、ワイン畑……、日本人は、米国人にとって歴史と伝統を感じさせる資産を次から次へと買いまくり、メディアでヒンシュクを買っていました。

その極めつけは、三菱地所によるニューヨーク、ロックフェラーセンターの買収でしょう。ロックフェラーセンターは、その名のとおり米国の大富豪ロックフェラー一族がマンハッタン島の真ん中、五番街に面した一等地に持っていたオフィスビル等の一角です。小さなアイススケートリンクがあり、クリスマスには毎年大きなツリーが飾られることで有名で、数々の映画や小説の舞台となったニューヨークの観光名所です。これを日本企業が買収したものですから、当時は「今年はクリスマスツリーではなく日本の門松が飾られることになる」という皮肉な絵がニューズウイーク誌の表紙を飾ったりして、米国民の反感を買っていました。

しかし、冷静な米国の投資家たちはそんなことにはお構いなしです。総額二〇〇〇億円とも言われた買い物でしたが、その後マンハッタンの不動産市況は急速に悪化し、一九九五年、三菱地所は一〇〇〇億円以上の損失を出して撤退することになりました（さらに皮肉なことに、マンハッタンの不動産市況はその後ほどなくバブルのような活況を呈し、値上がりし始めました。そのまま持っていればよかったのに……、と二重に残念です）。結果的には、門松が飾られることも三菱マークが掲げられることもなく、それまでどおりのロックフェラーセンターのままでした。

日本人でも差別されることなくニューヨークの一等地を買うことができた、という意味で、「カネで買えないものはない」の代表格のようなこの話ですが、買えたから偉いわけでもなければ、売ったから魂を奪い取られたわけでもありません。モノにはすべて「適正な値段がある」ということを実感させ、その判断の良し悪しが数字として「フェアに」表れた、ビジネスの世界で日常的に行われていることのひとつにすぎないのです。

†日本の転換期――会社の値段が重要になる時代の到来

以上見てきたとおり、会社に値段をつけることは世の中に眠っている富、資金を活発に動き回らせて新たな事業、産業を生み出す原動力とするための基本コンセプトです。会社の株式を売り買いする制度を安心でフェアな形に設計することによって、多くの投資家と起業家が集まる活発な株式市場、証券市場が生まれます。

実は、この安心でフェアな制度設計というのが、言うは易《やす》く実現するのは難しいクセモノです。本書の後半でも折に触れとりあげますが、制度を悪用して安易な金儲けを企む詐欺師まがいの人たちと、それを取り締まるために制度をどんどん複雑にしたり厳しくしたりする監督機関とのイタチごっこが繰り返される、これが資本主義、市場経済システムの宿命です。

自由で開かれた市場システムを維持・発展させるには、大変な手間と労力がかかります。これを長い歴史をかけて作り上げてきたのが米国です。それに比べると、明治維新以降欧米を模範として民主国家を作ってきたとはいえ、日本の経済システムは長い間資本主義の原理原則とはやや違った形で発展しました。自由な投資家のリスクマネーによって自由な民間の起業家活力を引き出し発展させた分野や事例は限られていて、むしろ、国の富は銀行や国に蓄積され、優秀な官僚が行政指導をしながらその投資配分を政策的に決めることによって経済発展を実現してきました。

政治家と官僚と民間企業が一体となり、欧米先進国に追いつき追い越すことを目標に最短距離を突っ走る場合、そこには個人の起業家精神や、リスク覚悟での投資資金を集めるための「安心でフェアな株式市場」作りが重要視される土壌はなかなか育ちません。どの会社にどういう形で資金を集めるかの判断は、政治家や官僚と緊密に連携をとっている銀行任せでよく、会社のM&Aにおいても、銀行や関係省庁の意向が重要でした。会社に値段をつけて売り買いする、そのために投資家が安心して公正に株式売買をする制度を整え市場を育成する、そんなまどろっこしいことをする必要性はなかったのです。

これは、**資本主義というよりも社会主義に近い経済システム**です。日本が経済成長を謳《おう》歌《か》し欧米から脅威とみなされていた時期に、彼らから「日本は世界で最も成功している社会主義国家だ」と皮肉られていたのはこのためです。

官民一体の環境で成功体験を蓄積したビジネスマンにとり、株式市場は単なるギャンブルの場のようなものでした。会社に値段をつけて売り買いする仕組みが経済発展のために大切な原理原則だ、という意識が育たなかったのは無理もありません。

日本の経済、社会が一九九〇年のバブル崩壊から一〇年以上も閉塞感に覆われ続けたこと、銀行が長く機能不全に陥ったこと、伝統的大企業が不祥事などで困難に直面したこと、かつて世界最強を誇った日本の官僚組織が省庁再編などにより変革をせまられたこと、そして、道路公団や郵政の民営化が国民の広い支持を集めたこと、……。これらは豊かになり成熟化した日本経済が、社会主義的な実態を持つ「擬似」資本主義システムから、真の資本主義原理原則に則ったシステムへ移行する過程の出来事だと理解することができます。それはちょうどソ連の共産主義国家が破綻し、中国が、より資本主義的なシステムを取り入れなければ経済発展を成し得ない、と判断して急速に舵を切った流れと同じようにとらえることができます。その移行プロセスにおいて、「外資系」が活躍する場が広がったり、米国市場で苦労して経験を積んできたソニーやホンダのような、起業家的精神を持つ日本企業が輝きを増したりしたのも、ある意味必然的な流れだといえるでしょう。

私は、米国流の仕組みや考え方が全て正しく、伝統的な日本のやり方が全て間違っている、というつもりはありません。**株式会社という仕組み、公開株式市場という制度は、世の中に活力をもたらすための大切な枠組みだ、**という点を強調したいだけです。その枠組みを正しく理解し使いこなすことを考える方が、感情的になって頭ごなしに米国的アプローチを否定するより建設的です。会社に値段をつけることが正しいか正しくないかを議論するより、どうやれば会社の値段を正しく算定できるのか、バカな値段で会社を売ったり買ったりして損をしないようにできるのか、を考えることの方が、ますますグローバル化が進む世の中を生き抜いてゆくために重要です。

　そのためには、まずは会社に値段をつけて売り買いすることの先進国である米国的考え方の基礎を頭に入れておく必要があります。

第二章

基本ルールとしての「米国流」

†「米国流」がグローバルスタンダードな理由

二〇世紀は、まさに米国的資本主義経済が地球上で飛びぬけた強さを発揮した時代でした。グローバルスタンダードという米国スタンダードは、ITをはじめとする技術面だけではなく、ビジネスのやり方や経営手法の世界においても、世界中で多くの影響力を持っています。それはなぜでしょうか？

「米国的」といわれるものが世界に広がりやすい背景を考えてみると、それは国づくりの発想が違うところにあるのではないかと思います。そもそも移民によって作られた国家である米国は、世界中の他の多くの国々と違い、民族や言語、宗教などを国づくりの基盤としていません。自由、フェアネス（公正さ）、独立心の尊重、というような理念を共有する個人の集まりによって成り立っている国です。国内にさまざまな人種や宗教の人たちが一緒に暮らしており、人種差別や貧富の差の課題をかかえながら国づくりをして今日に至っています。その中で、「自由」「公正」といった価値を皆が尊重し合えるようなルール作りを長年やってきた、それを国民全体で共有するためのコミュニケーションに労力を割いてきた、その経験の蓄積が、ビジネスのグローバル化の流れの中で世界標準を作る大きな原動力となっているのです。

米国的、というときに、人それぞれいろいろなイメージを持つでしょうし、実際のところ、「米国とは」というステレオタイプ的な見方や言い方は、個人的にあまり好きではありません。しかしながら、ここでは私の限られた金融・投資の世界での経験に基づく、**米国らしさの特長として、次の三つを挙げておきます。**これを頭の片隅においておくと、ビジネスや金融・投資の世界で、米国的なやり方と接したときに、変に感情的になったり話が噛《か》み合わなくなったりするのを防ぐヒントになるのではないかと思います。

ひとつめは、**単純明快に数字で判断するのを好む、**です。

ことビジネスの世界では、「経済合理性」などという言葉で表現されますが、わかりやすくいうと、それは物事が正しいとか良いとかを判断するのに数字・金額に換算する習慣、ということができます。まさに「お金ほどフェアなものはない」という思考です。美しいか醜いか、良いか悪いか、という価値判断を多様な国民の間でひとつにそろえるのは不可能だ、という現実的割り切りが背景にあり、その中で、ビジネスにおける自由や公正さを実現するには数字・金額という物差しに頼る以外方法はないのでしょう。米国的という言葉に拝金主義、儲けたものが勝ち、という匂いを感じるのは、このためです。

ふたつめは、**ルール化を大切にする、**です。

自由競争の世界は、どうしても弱肉強食になります。強者はどんどん強く大きくなり、傲慢になってゆくものです。そういう世界を原則的には認めた上で、弱くて小さい者が不当に虐《しいた》げられないように、そして、アイデアと努力次第で挽回逆転ができる公正な競争の場をつくることに、米国は長い間悪戦苦闘してきました。ロックフェラー家のような巨大資本家がどんどん力を増してきた二〇世紀初頭には、独占禁止法を作ってその横暴に歯止めをかけようとしました。資本市場が万人にとり公正な取引の場となるよう、証券取引法もいちはやく整備しました。

「誰しも大金持ちになりたいし、人を蹴落としてでも出世したい。人間は欲深い生き物である」この現実をふまえて、それでも人種や宗教の枠を超えて個人の自由を互いに尊重し合う、そういう社会を作るためには、たくさんのルール、それを実効性あるものとするための監督機関、そして公正さの守護神としての権威ある裁判所、が必要です。このような**「法の支配」**はコストがかかります。米国というと、弁護士がたくさんいて訴訟ばかりしている国、ビジネス交渉をしていても分厚い契約書を作ってきて話をいたずらに複雑にし、挙句の果てには言葉じりをとらえて相手を落としいれようとする連中、という悪印象も否めません。しかしながら、自由を守りつつフェアな社会を作るのはかなり手間のかかる作業なのだ、という現実の一面を、米国の訴訟社会はよく表しています。

最後の特長は、**でたとこ勝負で決断が早い、**です。

これは単なる私自身の経験から来る印象論ですが、外資系といわれる米国系会社に勤めた経験のある方ならば、うんうんとうなずかれるのではないかと思います。一九八〇年代だったでしょうか、日本的経営が賞賛され大胆な企業買収戦略で米国市場に進出していた最中に、ソニーの故盛田昭夫社長が、

「日本企業が一〇年かけて行う決断をアメリカの会社は一〇分でやる」

とあきれていたコメントを見ました。大きな事業投資に関する経験談で盛田氏がいわんとしていたのは、本来一年かけて検討して決断を下すべき経営判断を、米国企業は一〇分でやり、日本企業は一〇年かけるが、どちらも極端だ、ということではなかったかと記憶しています。実際、私も米国投資銀行の本場で、M&Aビジネスの修行を積んでいたころに最も痛感したのはこれでした。重大な会社売却の案件の役員会で、たしかに激論は交わされるのですが、一時間なら一時間と決められた会議で、「えいっ」と結論が出てしまう現場を何度か目にしました。そこには、

「限られた時間だが、集められる情報は全て集め専門家の意見も聞いた。もっと情報があればそれに越したことはないが、いくら情報を集めてみても他人の意見を聞きまわってみても、所詮先のことはわからない。それならば、延々と議論するよりもとりあえず前に進み、間違ったと気づいたら、そこから迅速に軌道修正すればよい」

と割り切った意思決定スタイルがありました。盛田氏の言うとおり、もうちょっと現場の意見を聞いてみたり、他の選択肢と比較検討してみたりしないでよいのだろうか、と思うこともありましたが、自由な競争市場において、特に投資判断の世界では、市場の激変がいつ起こるかわからないものです。「時はカネなり」「スピードは力」だということを実感するとともに、少なくともウォール街の金融ビジネスの世界では、肉食動物のような瞬発力、場当たり的で言うことがコロコロ変わるのをいとわない天真爛漫さ、が必要なのだ、と痛感したものです。

「米国的」というものを、やや強引に単純化してしまいましたが、このような思考スタイルを頭にいれたうえで、以下に説明する会社の値段算定の基本ルールを読んでいただくと、「そんなにシンプルでいいの?」という抵抗感が少し和らぐのではないかと思います。加えてこの章では、「株主至上主義」といわれる米国が長い歴史の中でフェアな市場作りに腐心してきた歴史を振り返りますが、ルール作りの重要性と難しさという観点からその紆《う》余曲折《よきょくせつ》を理解することが大切です。

前置きが長くなりましたが、ここからが本題です。

†投資価値算定の万国共通ツール

米国的といわれる合理的思考の代表格は、ビジネススクールで教わることでしょう。その中でファイナンスといわれる分野が、会社の値段を算定する方法について学ぶ科目です。ここではその一部をつまみ食いの形で解説します。**簡単な公式ですが、なぜそうなるのかをそもそも論から理解すれば、会社の値段の算定のしかたをマスターしたも同然**です。若干の数式がでてきますが、煙たがらずにここだけはなんとか乗り切ってください。

まずは、会社を、毎日ひとつ卵を産む一羽のガチョウにたとえて考えてみましょう。このガチョウを売ってほしいという人が現れたら、どうやって「適正な」値段をつければよいでしょうか。羽がきれいなので飼って眺めていたい人にとっての値段、殺して肉を食べたい人にとっての値段、いろいろな視点があるでしょう。しかし、せっかく卵を産むわけですから、その価値を評価しない値段で売ってしまうのはあなたにとって損な取引です。このガチョウが、死ぬまでの間に一〇〇個の卵を産むとしたら、少なくともこのガチョウには町で売っている卵一〇〇個分の値段と同じ（えさ代などを差し引いてですが）になるはずです。もし、あなたのガチョウが産む卵が金の卵だとしたら、もはやそのガチョウは巨大な金の塊と同じ価値になります。ただし、いつまで金の卵を産み続けるのか、いつ病気や事故で死んでしまうかはわかりませんから、正確な値段のつけようがない、というのもこれまた真実です。腹を切って何個の卵を産めるか確かめようとしたら、全てを失います。

金の卵を産むという価値を持っているガチョウとなれば、もはや見た目が可愛いとか、肉に脂がのっていてローストしたらうまそうだとかいう価値は、どうでもよくなります。ガチョウの値段は、ひとえにその産み出す金の量によって決まるのです。

会社というのは、金の卵を産むガチョウと同じとイメージしていただくとわかりやすいかと思います。のみならず、会社は生身の生き物ではありませんから、きちんとメンテナンス（経営）をすれば、永遠に毎年利益を生み続けることのできるスーパーガチョウだと考えられます。**永遠に毎年生み出す利益（キャッシュ）の合計額がこの会社の値段となる、これが企業価値算定の基本**です。

†永遠に同じキャッシュを生みつづける金融商品の値段

将来にどれだけのカネを生み出すかによって値段が決まる、これは、会社の値段のみならずどんな投資商品についても同じです。国債のように毎年利息を生む投資商品、毎月賃料収入が得られるマンション投資……。最近になりようやく日本の土地の値段のつけかたにおいてもこの考え方が主流となってきたようです。これは、**収益還元法**とか**ＤＣＦ法（Discounted Cash Flow、キャッシュフロー還元法）**と呼ばれている方法です。

具体的な算定方法の出発点として、永久国債を考えてみましょう。「毎年確実に一万円ずつ利息を払い続けます、期限はなく永遠に子孫末裔の代まで払います」。このような国債が発行されたら、あなたはいくら払ってこの国債を買おうと思いますか？ これは、言い換えると、あなたはこの投資でどれほどの利回りが欲しいですか？ という質問と同じです。「銀行に預金しても〇・五％も利息がつかないんだから、一％あれば十分」という答えであれば、この国債の値段は一〇〇万円となります。なぜならば、これは、一％の利率で毎年一万円の利息金を生んでくれるような元本はいくらか、という質問と同じ、したがって、

元本×1％（0.01）＝1万円
元本＝1万円／0.01＝100万円

だからですね。

「いやいや、国の借金は七〇〇兆円にも上っている。このままでは借金返済の目途《めど》がたたないから、かつての南米の国のような大暴落が起こって貨幣価値が下がる、つまりインフレになるぞ。だから俺は、一〇％の利回りでなければこの国債は買えない」

と考える人もいるでしょう。その人にとっては、同じ国債の値段が、

1万円／10％（0.1）＝10万円

と一〇分の一になります。このように、投資家が要求する利回りによって、投資商品の値段は違ってきます。

†お金の時間価値——現在価値という発想

先ほど、ガチョウが確実に一〇〇個卵を産むとしたら、そのガチョウの値段は、街で売っている卵一〇〇個の値段と同じになるはずだ、という話をしましたが、これは正確ではありません。一〇〇個の卵を手に入れるのに一〇〇日かかってしまうとしたら、今、街で売っている一〇〇個の卵の値段と、一個ずつの卵を一〇〇日間かけて手に入れる値段は違ってきます。別の例で説明しましょう。

「一〇年後に必ず返すから、今、一〇〇万円貸してくれ」

と友人から頼まれた場合、投資家のあなたはどうすべきでしょうか。必ず返してくれると信用できるとしても、一〇〇万円をそのまま貸すのは、友人としてはともかく、投資家としてはあまりにお人よしです。なぜならば、**今の一〇〇万円は一〇年後の一〇〇万円よ**

りも価値が高いからです。英語のことわざに、A bird in the hand is worth two in the bush. というのがあります。「明日の一〇〇より今日の五〇」という意味で、将来が不確実なものに投資をする際の大切な心構え、これを忘れると金融の世界で格好の餌食となってしまいます。

では、今の一〇〇万円と一〇年後の一〇〇万円には、どれほど価値の差があるのでしょうか？　これが、**現在価値**といわれるファイナンス理論上の大切な考え方です。

現在価値の計算方法は、前述の投資商品の値段のつけ方と同じです。その一〇〇万円を、通常の投資で運用すれば一〇年後にいくらになっているか、という風に考えればよいのです。

毎年利息が三％ついて、元本と利息の支払いが保証されている国債を買って運用し、毎年の利息はそのまま三％で、さらに国債を追加購入するとしましょう。あなたの一〇〇万円は、一〇年後には、

(1＋0.03) 倍を一〇回繰り返す、

つまり、

$$(1+0.03)^{10}=1.34倍$$

に増える計算となります。今、一〇〇万円貸すのであれば、一〇年後に一三四万円を返してもらうという約束で、あなたは通常の運用と同じ三%の利回りを確保できることになります。

現在価値は、この計算を逆さまにする考え方です。今の一〇〇万円は一〇年後に一三四万円になる、ということは、一〇年後に必ず返すという友人の一〇〇万円は、現在価値では、

$$100万円\div1.34=74.4万円$$

となります。これを投資家らしく表現すると、

「一〇年後の一〇〇万円を、割引率三%で現在価値に引きなおすと、七四万四〇〇〇円である」

となります。常識的な投資家としてのあなたは、友人に七四・四万円を貸し、一〇年後

に一〇〇万円を返してもらう、という約束をすべきです。

ここでひとつ用語の使い方に注意が必要です。**割引率（ディスカウント・レート）**という言葉は、バーゲンセールの値引率と同じような響きがあり、誤解を招きやすいところがあります。ずる賢い友人は、

「わかった、割引率一〇％でどうだ？　九〇万円貸してくれたら一〇年後に一〇〇万円返すから」

と言うかもしれませんが、これは現在価値を計算する上での割引率ではありません。一年後に一〇〇万円返してくれるならそれでいいのですが、一〇年後の一〇〇万円の現在価値は、一〇〇万円を一〇％ディスカウントにした九〇万円となるわけではありません。すかさず、

「割引率一〇％だね、じゃあ、三八万六〇〇〇円貸してあげればいいんだね」

と言い返せるようになれば、金融取引や投資の世界で相手にナメられることはなくなります。ちなみにこの計算は、

100 万円/$(1+0.1)^{10}$ = 100 万円/2.594 = 38.6 万円

ですね。

以上の基礎知識で道具としては十分です。そこから次の企業価値算定の定義が導き出されます。

†企業価値算定の原理

企業価値＝企業が将来にわたって生み出すキャッシュフローの現在価値

会社は永遠にキャッシュという金の卵を産み続けるスーパーガチョウで、その値段は産む卵の合計として決まります。毎年一億円の利益（キャッシュ）を永遠に生み続ける会社の値段は、先ほど説明した通り、投資利回り一〇％を期待して投資する人にとっては一〇億円となります。これは毎年の一億円を永遠に伸ばして、それを全部現在価値に引き直して合計したものと同じになります。一見複雑ですがその計算方法は左ページ（【図1】）の通りです。毎年一億円を永遠に生み続けるという仮定では単純すぎて物足りないという人は、毎年の利益を予想してそれぞれを現在価値に引き直して合計すれば、その会社の値段が算定できます。

図1　企業価値とキャッシュフローの現在価値

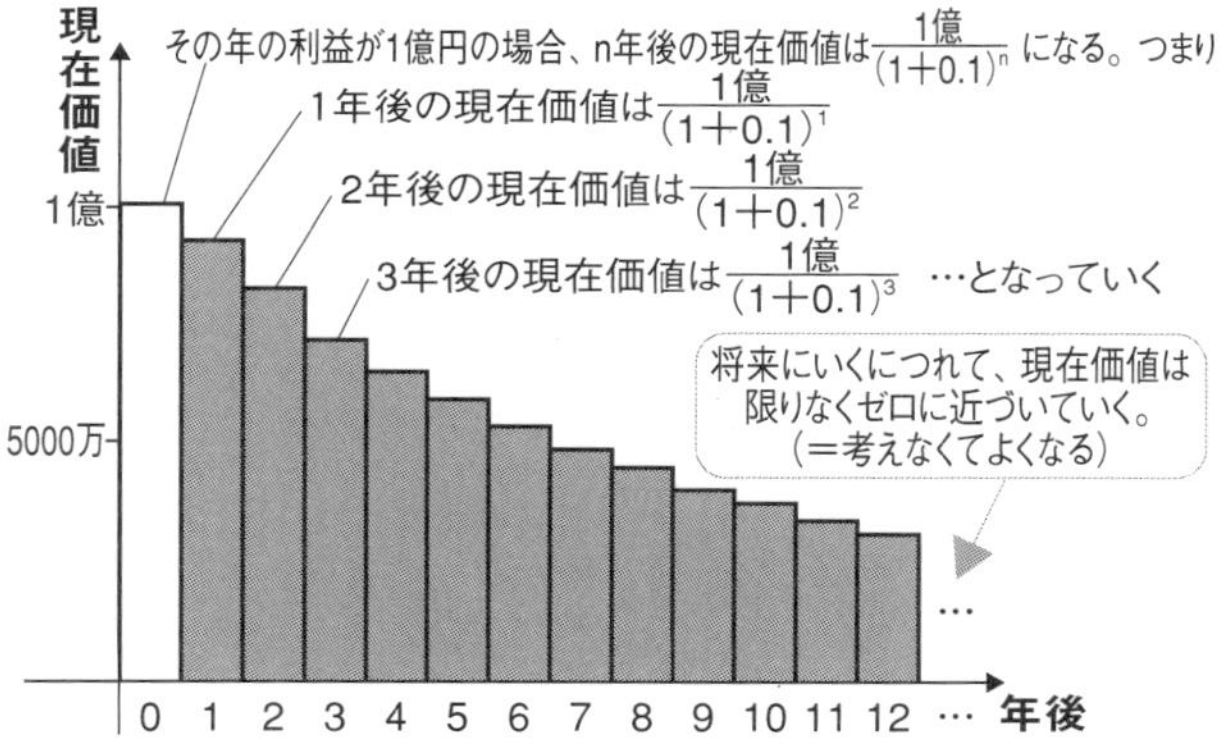
現在価値
その年の利益が1億円の場合、n年後の現在価値は$\frac{1億}{(1+0.1)^n}$になる。つまり
1年後の現在価値は$\frac{1億}{(1+0.1)^1}$
2年後の現在価値は$\frac{1億}{(1+0.1)^2}$
3年後の現在価値は$\frac{1億}{(1+0.1)^3}$　…となっていく
将来にいくにつれて、現在価値は限りなくゼロに近づいていく。（＝考えなくてよくなる）
1億
5000万
0 1 2 3 4 5 6 7 8 9 10 11 12 … 年後

企業価値は

将来にわたって生み出されるキャッシュフローの現在価値の合計

なので、これは上のグラフの▒部の面積ということになる。
これを計算してみると、結局、

$$\textbf{企業価値} = \frac{\textbf{現在キャッシュフロー}}{\textbf{割引率}}$$

という式で表わせる。

↓詳しい計算を知りたい方はこちら

$$(\text{企業価値}) = \frac{1億}{(1+0.1)} + \frac{1億}{(1+0.1)^2} + \frac{1億}{(1+0.1)^3} + \cdots$$

両辺に（1+0.1）をかけて元の式を引く。すると、

$$(1+0.1)(\text{企業価値}) = 1億 + \frac{1億}{(1+0.1)} + \frac{1億}{(1+0.1)^2} + \frac{1億}{(1+0.1)^3} + \cdots$$

$$-)\quad (\text{企業価値}) = \frac{1億}{(1+0.1)} + \frac{1億}{(1+0.1)^2} + \frac{1億}{(1+0.1)^3} + \cdots$$

$$0.1(\text{企業価値}) = 1億$$

$$(\text{企業価値}) = \frac{1億}{0.1} = 10億$$　となる

それだけでいいの？　と不安になるほど単純明快ですが、企業価値算定に関するさまざまな方式や手法は、すべてこの原理から出発していると言っても過言ではありません。

もう少し詳しく、この定義のどの部分が、価格算定のカギになっているのかを分解してみましょう。

会社の値段が将来キャッシュフローの現在価値だとすると、会社の値段を決めるカギは、次の二つだということがわかります。それは、

①将来キャッシュフローをどう描くか

②そのキャッシュフローをどの割引率で現在価値に引きなおすか

です。

①はすなわち会社の経営戦略、事業計画の問題です。将来にわたってどんな成長の絵を描けるかによって、会社の値段がちがってきます。

②は割引率として何％を用いるべきか、です。これはその事業の安定性、将来の不確実性によって異なるはずもので、**リスク**の問題です。ここがファイナンス理論上いろいろ議論されている、大変奥の深いテーマの部分です。確率、分散といった知識と難しい数式抜きには理解できない分野ですが、本書では思い切り単純化して普通の人にとって納得できる説明を試みてみましょう。

†リスクを数値化する

まずは、将来がどうなるかわからないために、期待すべき利回りが修正される仕組みの説明からはじめましょう。これは信用力のある人が銀行から借金する場合と、なんの担保も信用も差し出せない人が消費者金融から借金する場合とで、要求される利息（利率）が違う、という話です。

先ほどの例で、一〇年後に友人が一〇〇万円を返してくれる可能性が五〇％しかない、残り五〇％の確率で友人はあなたの借金を踏み倒してしまう、としましょう。確率を勘案したあなたが一〇年後に返してもらえる**期待値**は五〇万円ですね。であれば、一〇〇％確実に返ってくる場合に三％の利回りで、七四・四万円を貸すつもりだったあなたはその半分の三七・二万円しか貸すべきではないことになります。

この場合、三七・二万円がどのような利息を生めば一〇年後に一〇〇万円になるかというと、その利率は一〇・四％と跳ね上がります。これは、将来のキャッシュフローが不確実で、想定より下回る可能性がある場合は、その取りっぱぐれのリスク分を補ってくれるような高い利率をつけなければ金を貸せない、ということを示しています。将来のキャッシュフローをバラ色に描いてみても、本当にそうなるという信用のない会社の値段は、期待利回りをその分高く設定して算定しなければならないため、キャッシュフローの予想をたてやすい安定した会社よりも安くなるのです。

ファイナンス理論上でいう「リスク」の意味は、実はさらに複雑です。それはブレの大きさに対する好き嫌い、というような意味合いを持っています。

あなたは、五〇%ずつの確率で六〇万円か四〇万円もらえる場合と、一〇%の確率で九五〇万円もらえるが、九〇%の確率で五〇万円損をする場合とではどちらの投資を選ぶでしょうか？　もらえる金額に確率を掛け算して合計した期待値は、どちらも同じ五〇万円です。しかし、だからといってどちらでも同じ投資だとは通常感じられません。**損をする確率が九〇%もある投資を、普通の人は嫌います。**これを**リスク回避的**といいます。逆に、**一攫千金を狙って九五〇万円もらえる一〇%の確率に賭けたがる人も世の中にはいます。**いわゆる**リスク愛好家**ですね。友人が、「貸してくれたお金を元手に一〇年間勝負して、そこで貯めた金を全部あなたに返すが、損をしたら追加で払ってくれ」といい、それが一〇%の確率で九五〇万円の勝ち、九〇%の確率で五〇万円の負けだったとしましょう。この投資から得られる収益の期待値は確かに五〇万円ですが、そういうギャンブルには一〇万円ぐらいしか出す気になれない、というのがリスク回避的なあなたの正直な気持ちでしょう。この場合、あなたは一七・五%の割引率で一〇年後の期待値五〇万円を現在価値に引き直したことになります（一〇万円を一七・五％の利回りで一〇年間運用すると五〇万円になるという計算の裏返しです）。一〇年後に確実に五〇万円くれる国債の利回りを三％（これを無リスク金利といいます）とした場合、この一七・五％と三％の差の一四・五％を**リスクプレミアム**といいます。

以上のように、**会社が描く将来キャッシュフローの安定性、不確実性、およびその振れ幅の大きさを割引率の中に織り込む、これによって会社の値段が算定できる**のです。

「今年の利益はたくさん出ているけど先行きは全く不透明だから、この会社の将来キャッシュフローの適正な割引率は一五％ぐらいですかね」

という風にリスクを数値化し、会社の値段の妥当性を表現できるようになれば、あなたに対しては米国ビジネススクールでＭＢＡを取ってきた外資系証券マンでも身構えることでしょう。

†最低限覚えておくべき公式

これまで説明してきたことは、非常にシンプルな公式（次ページ）に集約されます。

Ｃはその企業が現在生み出しているキャッシュ（金の卵）。

ｒは将来のキャッシュフローを現在価値に引きなおすための割引率で、これは企業の将

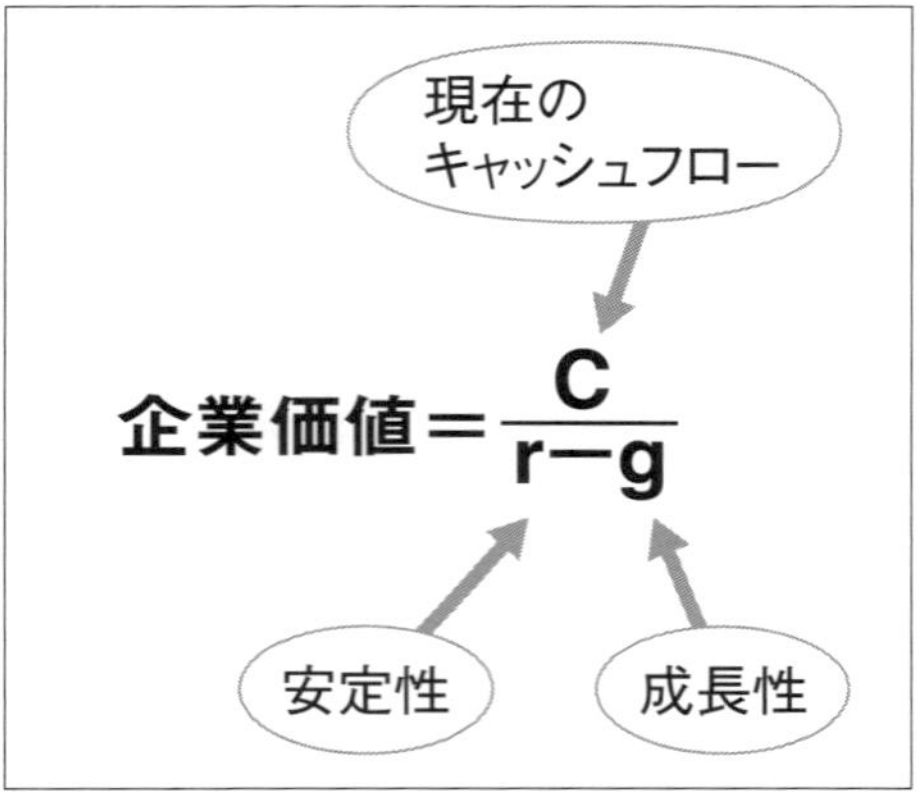

会社の値段を決める公式

来の安定性、不確実性によって決まります。

gは企業の将来の成長率です。これは事業計画、経営戦略によって決まります。

会社の値段、企業の価値がその事業の規模や安定性や成長性によって決まる、という考え方は、常識的には納得できるものでしょう。しかしながら、これを簡単な数式にして、すべてを数字で語ることによって、会社の値段は具体的な金額に落とし込めるのだ、と言い切ってしまうと、

「いやいや、値段を決める要素はもっとたくさんあるよ。企業のブランド価値、社員の質、社会的な貢献……。そんな簡単な式ですべてを語れることなどあり得ない」

という批判の声があがります。

こう批判する人の発想は、ガチョウの値段を羽の色や肉付きで決めようというのに近いものがあります。会社というスーパーガチョウの値段は、生み出す金の卵の現在価値で決

まる、羽の色も肉付きも金の卵をどれだけ産むかに関係なければ値段には関係ない、ブランド価値云々は、将来キャッシュフローがそれによってどれだけ増えるかに集約され、数字に落とし込めない限り価値があるとは言えない……。全てをキャッシュフローを生み出す力に集約して考える、これが投資価値としての会社の値段算定の大切な原則です。

この点は、日本的企業観の人と議論が噛み合わなくなる原因の大事な部分なので、第三章でさらに整理しますが、**米国的なこの算定手法ゆえに、企業の持っている重要な価値要素が無視されてしまうわけでは決してありません。**企業ブランドは、事業規模や事業の安定性、成長性につながる要素です。優秀な社員は、その人がいること自体が会社の値段に反映するのではなく、そういう優秀な社員がいて長く辞めずに勤めるから会社が成長し安定しキャッシュフローが増える、という形で会社の値段の大事な構成要因となっているのです。企業の社会的貢献にいたっては、むしろ米国的な会社のほうが伝統的日本企業より真剣に取り組んでいるものです。なぜならば、シンプルなこの公式は、企業が「永遠に」金の卵を産み続けることを前提としているからです。企業はよき市民であれ（Corporate Citizenship）、という理念が織り込まれていない企業が、永続的に発展するはずはありません。米国では、法令違反や不祥事ひとつであっという間に倒産する会社は、枚挙《まいきょ》にいとまがないのですから。

†株主至上主義の紆余曲折

米国流の会社観というと、「会社は株主のもの。株価を上げるのが経営者の仕事」というドライな株主至上主義を多くの日本人は思い浮かべるでしょう。たしかに、「会社は誰のものか」という問いに、大半の米国人は即座に「株主のもの」と答えます。株式会社という制度上会社の所有者が株主であるのは、日本においても同じです。

ところが違うのは、日本では「制度上はそういうことになっているけれど、あまりはしたない振る舞いをするものではない」という慎みを株主に求めがちな点です。「制度として株主のものなのだから、法令に違反しないかぎり何をやっても構わないでしょ」とルールどおりの運用を主張するスタイルはいかにも米国的で、それは、「子供っぽい、節操がない」と批判されがちです。

最近になって、にわかに「会社は株主のものである」という正論が、日本でも堂々と展開されるようになってきました。その主張を展開するのが外資系の金融関係者や海外留学経験者に多いせいか、米国はずっと昔から同じ株主至上主義でやってきた国だ、と思い込んでいる人が多いように見受けられます。しかし、一九世紀後半から今日に至るまで、米国の資本主義はどんどん変化しています。「会社は株主のもの」というだけではすまされない、株主と経営者の間には会社支配を巡る長い綱引きの歴史があります。「米国の株主至上主義が日本に持ち込まれるのはいかがなものか」という人には、それはいつの時代のどのような株主主義の話をしているのかを確認しなければなりません。

以下、駆け足で、その「米国的」株主至上主義の歴史を振り返り理解しておきましょう。

†オーナー一族経営の時代

もともとの資本主義の原型は、オーナー一族による経営という形でした。産業革命による新しい技術をいち早く導入したり、他人に先駆けて市場を開拓・創造したりするのは、いわゆる起業家＝アントレプレナーです。米国が新たなチャンスと開拓すべき市場にあふれていた一九世紀後半から二〇世紀初頭にかけて、一代で巨万の富を生み出す人たちが続々と現れました。石油王ロックフェラーや金融王モルガン、南北戦争の火薬製造で富を築き「死の商人」と呼ばれたデュポン、といったおなじみの名前ですね。その富は芸術や教育にもそそがれ、今やそちらの方面で名が残っている家もたくさんあります。カーネギーホールで有名なアンドリュー・カーネギーは鉄鋼王ですし、スタンフォード大学の創設者リーランド・スタンフォードは鉄道王と呼ばれていました。

これらの起業家は、そのまま創業一族での経営を行いました。会社の株主であるオーナーがそのまま経営者となる形態ですので、**所有と経営が一体**だということになります。自分たちの一族の繁栄のために自分たちががんばって会社経営をする、これは伝統的にはごく自然な形態です。日本でいえば、堤一族の西武・コクドグループは、つい最近までこの形態に近い形のまま経営されていたということになるのでしょう。米国の多くの企業では一世紀前にこの経営形態は次のステージに移行していきました。

†所有と経営の分離

米国の資本主義がそのパワーを見せつけたきっかけは、二〇世紀初頭、巨大設備産業の登場です。

鉄鋼業や石油開発、鉄道施設には多額の資本が必要でした。フォードは一九一四年にベルトコンベアの大量生産工場を建てることにより、自動車を一躍庶民に手の届く商品に変えました。多額の資本を必要とするこれら事業家のために、資金集めの手伝いをすることで力を発揮したのが、ウォール街の投資銀行、**バンカー**です。彼らは、当初は主に社債（満期に返済する借金）を発行して創業家の資金調達を助けていましたが、やがて株式の時価発行増資、一族の株式を現金化するための市場での売り出し、を手がけるようになります。これにより会社の所有者がより広い投資家層に分散し、会社の所有者である**投資家株**

主と経営者とが分離しはじめます。

さらに、経営については一族の人間がやるよりももっと優秀な参謀がやったほうがいい、ということで、会社株式を所有しない**プロの経営者層**が生み出されました。これらいわゆる経営テクノクラートが、実質的な会社の支配力を持つようになります。一九三二年にはバーリとミーンズという二人の学者が、「現代の大企業を支配しているのは雇われ経営者であり、株主は会社の所有者であるにもかかわらず会社の支配とは無縁な存在になる」という論文を発表しました。これが**所有と経営の分離論**です。

この傾向は、一九六〇年頃まで続きます。日本が戦争に敗れ、財閥が解体され、米国的な資本主義を受け入れた時期、強くて豊かな米国を目の当たりにした時代は、米国においても株主は黙って経営者のいうことを聞いていればよい、と言われていた時代でした。今日、日本の伝統的企業のトップをつとめている六〇歳以上の世代は、こういう米国経営を範として育ち、追いつけ追い越せとがむしゃらに働き、そしてたしかに高度経済成長を実現し黙って見ていた株主を豊かにした世代です。

「会社が株主のものだ、なんて言う意見に振り回されると会社にとってロクなことにならない」

という信念を持つとしても仕方ない原体験、成功体験を持っているのです。

経営者がプロフェッショナルな知識を持ち、株主に邪魔されずにうまく経営ができるようになることにより効率が上がる、という主張は**経営者革命**とも呼ばれます。当時はソ連との冷戦時代で、中央集権的にテクノクラートが支配している共産主義体制に対抗意識むき出しの頃の米国という時代背景も、このようなエリート経営者への権力集中体制づくりに影響を及ぼしているのでしょう。いずれにせよ、日本の多くの企業経営者がいまだに本音として持っている「株主は黙って見ていろ」という発想は、たしかに一九六〇年代までの米国に存在していました。

†一九六〇年代のM&Aブーム

こうして、経営者が一般投資家株主の声を気にせず事業の成長・拡大に邁進できるようになると、新たなM&Aブームが起こりました。これは、**コングロマリット化のM&A**といわれる動きです。

卓越した経営力のある会社が、そうでもない会社を買収して傘下におさめるとその企業価値があがります。異業種だろうと、買収相手の会社のほうが大きかろうと、それは可能です。野心的で、悪くいえば成り上がり的な「プロの」経営者たちは、こうしたM&A手法で一気に巨大企業グループを作り上げました。代表的なのは、ITT（国際電話電信会社）王国を築いたハロルド・ジェニーンという経営者でしょう。もともと日本ではあまり有名ではありませんでしたが、最近『プロフェッショナル・マネージャー』という彼の回想録が、ユニクロの柳井社長ご推薦書ということで再注目されています。ＩＴＴの経営トップにつくや、異業種のＭ＆Ａを繰り返し、その名の通りただの電信電話会社だったＩＴＴを、シェラトンホテルチェーンやエイビスレンタカーを保有する巨大なコングロマリットにした人物です。一四年間増収増益を達成し、彼の在任中に会社の規模は二〇倍になったといわれています。日本でいうと、ソフトバンクや楽天、ライブドアのような会社のイメージでしょうか。

この時代のＭ＆Ａにおいては、経営者が独裁的権力を行使して他の会社の株主になり所有者になる、という世界が展開されました。経営者と株主の支配関係の綱引きという観点からは、この時期が経営者パワーの最盛期です。**株主至上主義だから会社の売り買いが盛んになる、というわけではなく、経営者オールマイティ状態でも、Ｍ＆Ａは活発に起こるのです。**一九八〇年代、バブルに浮かれて経営者が会社の金を歯止めなく使っていた頃の日本を彷彿させます。

†一九八〇年代以降——株主の逆襲

高株価を利用したコングロマリットM&A戦略は、やがて行き詰まります。バブル的に膨張した株価は、業績下方修正のニュースをきっかけに一気に暴落しました。先に紹介したITTの他にも、M&Aを通じて急成長した会社にはLTVやリットンインダストリーズなどがあり、当時は業界の風雲児的にもてはやされましたが、結局会社は再びバラバラにして切り売りされたり、他の会社の傘下に入ったり、今や名前もなくなってしまいました。

経営者の横暴が目に余るようになったのは、多くの大企業でも同じでした。経営陣は株主投資家の目の届かないところで無駄な投資や贅沢をするようになりました。豪華な本社家屋に骨董品あふれる役員室、出張には社用ジェット機で……、それらはすべて、経営成績と株価が右肩あがりを続ける間は黙認されていました。

しかし、一九七〇年代後半の石油ショックをきっかけに景気が後退すると、拡大成長に慣れて慢心していた経営者たちは、危機対応能力の無さを露呈します。多角化し巨大化することによって、組織がかえって硬直化し、変化に対応できなくなった姿は、「巨象」「恐竜」と揶揄されました。ずるずると下がる株価に業を煮やした株主投資家が、経営者の更迭を求めて立ち上がりはじめる、これは一九八〇年以降に活発化してきた株主主権回復の新たな展開です。

この新たな株主活動の推進役は、一般庶民の資金を預かる**機関投資家**と、敵対的M&Aもいとわない攻撃的な個人投資家や**投資ファンド**でした。

†機関投資家の拡大とコーポレート・ガバナンス

機関投資家とは、年金基金や生命保険会社、投資顧問会社のような、広く大衆の資金を集めて代わりに運用する、投資のプロです。

一九七〇年代までの強く豊かな米国は大企業が牽引したわけですが、それに伴い従業員の福利厚生も充実しました。老後の退職金や年金資金として、個人や会社が積み立てる金が増えました。同時に、株式投資でより高い投資リターンを目指したいのだが個別の株式の良し悪しはよくわからない、という個人のために、**投資信託(ミューチュアル・ファンド)**が残高を伸ばしました。米国上場会社の株式のうち、これら機関投資家の保有する割合は、現在半分近くに達しています。

機関投資家は、個人の資金を代わりに投資運用する「プロ」ですから、その運用成績で勝負します。元来、彼らは**モノ言わぬ株主**で、いいと思う会社の株式を黙って市場で購入し、経営がダメだと判断すると黙ってそれを市場で売却していました。しかしながら、運用残高が巨額になるにつれ、機関投資家が「ダメだ」と判断して売ると、それによって株価がさらに下がり、逃げるに逃げられない状況が起こるようになります。「池のなかのクジラ」よろしく、暴れれば暴れるほど水が飛び散り身動きできなくなるのです。そうなると、運用を任されている機関投資家も、経営に対して黙っていられなくなります。機関投資家は、その背後にいる一般大衆投資家に代わって**モノを言う株主**となり、企業価値を高め株価を上げるため経営に積極的に関与するようになりました。日本でもここ数年はやり言葉となっている**コーポレート・ガバナンス（企業統治）**の強化、という動きです。

発言する機関投資家として有名なのは、カリフォルニア州の公務員退職年金基金（CａｌＰＥＲＳ＝カルパース）でしょう。州の公務員とその家族一〇〇万人以上の退職給付金や医療給付の基金として、二〇兆円という巨額の年金基金を運用しているのですが、きちんとした投資方針を掲げ、預かった資産を見事に運用しています。資産の三分の二を株式に投資しており、日本を含む海外の株式が全体の二〇％を占めています。カルパースは、投資した会社の株主総会に参加し議決権を積極的に行使することで有名で、日本の会社に対しても、経営者のお手盛りで物事が決まっていないか、経営者の報酬や退職金が適切に決められ、情報開示がなされているか、といったチェックを行い、不適切な場合は株主総会で反対票を投じています。

†敵対的M&Aとその防衛策の発達

一九八〇年代には、米国で第四次M&Aブームが起こりますが、この時期は、敵対的なM&Aが盛んに仕掛けられたという特長があります。

その背景には、肥大化して世の中の動きに迅速対応できなくなったコングロマリット経営と機関投資家の規模拡大、という時代環境があることを説明してきましたが、この流れの中で敵対的M&Aを見ると、それを仕掛ける人は善玉か悪玉かがよくわからなくなってきます。敵対的なM&Aを仕掛ける人たちは、「乗っ取り屋」と悪者扱いされるのが常ですが、ぬるま湯経営に浸って贅沢三昧している経営者を排除して、より効率的な経営をできる人間が会社を支配することは良いことです。株価低迷に悩む機関投資家は、乗っ取り屋であれなんであれ株式を高く買ってくれる人の登場を、むしろ歓迎しました。機関投資家は一般庶民の大切な退職年金等を預かっているプロなのですから、その運用利回りをあげることは文句なしに「善」であり、高い株価でその乗っ取り屋に売ることは、運用者としてのむしろ義務なのです。

しかし一方で、敵対的買収合戦に巻き込まれた会社が、バラバラに解体されたり強引なリストラで工場が閉鎖されたりする、ということもよく起こりました。時代はちょうど日本がバブル経済に入るころ、「ジャパン・アズ・NO．1」などといわれ、日本的経営の強さが米国にとって脅威の存在でした。「米国の経営者は敵対的買収におびえて短期的な株価のことばかり気にしなければならず、そのため長期的な投資が行われず国際競争力を失っている」という議論も活発に行われていました。

このような環境の下、どのような敵対的M&Aが悪い買収なのか、経営陣はどういう防衛策をどのように講じることが株主の利益を守る立場として正当化されるのか、についてのルール化が裁判を通じて進みました。日本で二〇〇五年に盛んに取沙汰された**「ポイズン・ピル（毒薬条項）」**という物騒な名前の防衛策も、この時期に米国で開発された手法です。

†強いアメリカの復活と株主至上主義

以上見てきたとおり、**経営者と株主の力関係は、二〇世紀米国の葛藤の歴史そのもので**す。そこには傍若無人な経営者も登場しますし、短期的な金儲けにしか興味がない乗っ取り屋も登場します。

一九八〇年代の敵対的M&A全盛時代には、「短期的視野での株価上昇にばかり気をとられる株主至上主義は国の力を弱める」と米国内でも批判が多かったのですが、その中から、マイクロソフトやインテル、オラクルといったＩＴ時代を切り開く新興企業が生まれ、大きくなりました。敵対的なものも含め、Ｍ＆Ａは第五次ブームといわれる史上最高水準で活発に行われ、自動車業界や金融業界のようにグローバルな事業再編を促進しています。資本家対労働者という古典的な対立構造は、年金基金の運用者が大株主になったり、ストックオプションを通じて一般社員も株価上昇の利益を享受できる仕組みが発達したりすることにより、かなり変化してきています。

ファイナンス理論を駆使して投資リターンを高める機関投資家が、株式市場の透明性を高め経営者の監視機能を果たしているはずですが、それでも、エンロン・ワールドコム事件に代表されるように、経営者の横暴は防ぎきれていません。短期的利益の追求に邁進しがちな機関投資家が多い一方で、それにブレーキをかけてバランスよい成長を促進しなければいけない、という反省の声も強く、企業の社会的責任を重視した**ＳＲＩ（Socially Responsible Investment）ファンド**に対する支持は増えています。米国では、全投資ファンドの一二％がＳＲＩに基づいているといわれ、投資基準のメインストリームになりつつあります。

本章では、メディアでよく耳にする「米国的な発想、やり方」の例という形で、単純明快な投資価値の測り方と、株主至上主義の話をとりあげました。ここでご理解いただきたいことは、米国的といわれるものが実際になにを指すのかをはっきりさせることが大切であり、と同時に**それが正しいか正しくないかという安易な議論は物事の本質を見誤る危険がある、**ということです。

投資価値の算定についてのシンプルな公式は、これを使うか使わないかによって会社の値段のつけかたに米国的なものと日本的なものとの差が出るものではありません。具体的にどういう数字を置くかによって差が出るのです。

ここで説明したのは、あくまで**ものを考えるときの枠組み、フレームワーク**です。この枠組みそのものが正しいか間違っているかを議論するのも大切かもしれませんが、もっと大切なのは、その枠組みの中で個別具体的な判断に「米国的」なものとは違う「日本的」な特長があるのか、それはどういう形で日米の差となって現れるのか、を考えることです。そういう姿勢を持つことで、日米関係においても、個々のビジネス交渉においても、より冷静に議論ができ、お互いを尊重し合ったより建設的な関係が築けるのではないかと思います。

第三章

企業価値の実体

†会社の持ち主

会社の値段は、卵を産むガチョウの値段と同じで、将来的に生み出すキャッシュの量でその会社の価値が決まる。前章を読んでも、やはりこの単純明快な割り切り方の「米国的」は性《しょう》に合わない、と抵抗を感じる人はいるでしょう。会社を投資対象商品とみなし、投資家（これを金持ち、と連想するのはゆきすぎなのですが）にとっての視点からしか会社を見ない結果、金儲けでしか善悪の判断ができないギスギスした世の中を作ってしまうのだ。現に、欧州、とくにドイツでは、会社は株主だけのものではなく、従業員が経営の意思決定に参加する仕組みを持っているではないか。こういう声もよく聞きます。そこで、株主投資家以外に、誰が会社の持ち主としての発言力を持つべきなのかを、本章でもう少し検討します。

ここまで、「会社の値段」「企業価値」「株主価値」「会社価値」といういろいろな言葉を使ってきました。きちんと定義すると話がよけいに理屈っぽくなるので曖昧に済ませてきたのですが、**あえて「企業」価値という言葉を好む多くの日本企業経営者には、会社とその経営責任に対する曖昧さの本音が垣間見えるように思えます。**

†企業価値にあたる英語はない？

「企業価値を高める」「企業価値を創造する」は、昨今、経営者が発するメッセージの常套文句となっています。海外のビジネススクール出身の経営コンサルタントやM&Aのアドバイスをする外資系投資銀行も、よくこの言葉を使います。そのため、企業価値という単語は英語の翻訳だと思っている人も多いのではないでしょうか。しかしながら、**日本人経営者が使っている意味での「企業価値」にぴったりあてはまる英語は、実はありません。**企業価値を直訳して Corporate Value と言っても米国ビジネスマンには通じません。通じたとしたら、それは Shareholder Value（株主価値）と全く同じものと理解されているか、あるいはその会社が大切にしている価値観、という意味に誤解されている可能性が高いのです。

これは、私自身が長年日本と海外の会社のM&Aアドバイスをやっていて、通訳に困ったり話が嚙み合わなくなったりした実際の経験に基づく話です。「企業価値をあげる」という言葉を日本人が使うとき、通常そこには「株主価値をあげる」、「株価をあげる」、とは違う意味がこもっています。そのニュアンスをうまく相手に伝えるのは結構骨が折れます。日本企業側がその言葉を用いる度に、私は、

「社長、今おっしゃったその『企業価値』というのは誰にとっての価値の意味ですか。株主や投資家にとっての価値、として伝えて構いませんか？」

と確認したくなります。そして、実際にその確認をすると大抵は、

「そんなこともわからないのか、困った通訳だな。『企業価値』といえばその企業が社会の中で持っている価値、という意味に決まっている。株主や投資家にとっての、という限定をわざわざつける必要はないだろう」

とややあきれたような表情で答えられてしまいます。

「企業価値」と「株主価値」、さらには「会社の値段（＝株価）」に、それぞれ違う意味合いを感じる日本人は多いようですが、この違いは、米国人経営者の多くにとってはピンとこない、と覚悟したほうがいいでしょう。

ところで、金融の世界には一般用語とはやや違う定義としての企業価値があります。それは、株主のみならずすべての投資家、融資先にとっての会社の価値、という意味で、**Enterprise Value** という英語が対応しています。区別をはっきりするために、この英単語を企業総価値、と呼ぶ金融専門家もいます。**この本でも、後半に企業価値算定の考え方を説明しますが、そこで使う企業価値は、この Enterprise Value の意味です**ので、あらかじめお断りしておきます。

いきなり禅問答のようで申し訳ありませんが、企業価値という言葉を多くの人が安易に使えば使うほど話はややこしくなる、それを曖昧にしたままM&Aなどの交渉をしたり、機関投資家に説明しても、すれ違いが起こりやすくなるだけである、この現実はしっかり頭に入れておいていただきたいのです。使っている言葉の意味を共通にすることは、円滑なコミュニケーションの大前提です。グローバルな視点でものを考えるにあたり、英語でも通じる言い方で考えたり話したりする習慣は大切ですし、外国人と交渉や議論をする際に、はずしてはいけないポイントだと思います。

そうやってじっくり考えてゆくと、実は「企業価値」という単語が、日本的な会社観と米国的資本主義を対比する上での最も重要なキーワードであることが見えてきます。

†企業価値という言葉にひそむ曖昧さ——ニッポン放送の企業価値と株主価値

二〇〇五年二月に突然起こったニッポン放送株式取得をめぐるフジテレビとライブドアの争いは、伝統的日本企業の「らしさ」と米国的発想でドライに割り切るベンチャー企業やファンドの特長を、企業価値という言葉の使い方で際立たせました。各当事者のコメントを拾って、微妙ですが決定的なスタンスの違いを見てみましょう。

ライブドアが登場する一年前、今やすっかり有名になった通称村上ファンドは、ニッポン放送の株式を買い集め筆頭株主になっていました。その渦中の二〇〇四年六月、株主総会用資料において、ニッポン放送の亀渕社長は株主に対して、次のような「ご挨拶メッセージ」を出しています（太字強調は引用者。以下同）。

わが国の経済は回復基調にあるものの、依然として先行きは不透明なままでありま す。こうした中で、当社は放送事業及び新規事業を積極的に展開し、**企業価値を長期的に維持拡大すること**をめざすと同時に、**国民の財産である公共の電波を預かり、**文化、情報といった良質のサービスを聴取者に提供することを旨として努力を続けてまいります。

今後も株主の皆様のご期待にお応えできるよう業績向上に全力を尽くしてまいりますので、一層のご支援とご協力を賜りますようお願い申し上げます。

これは日本企業の社長メッセージの典型的なものですね。ここでは、「企業価値を長期的に維持拡大すること」が経営目標である、と述べると同時に、ラジオ放送局が公共の財産であることが強調されています。騒動の中での一連の発表を通じてフジテレビ、ニッポン放送が発信していたメッセージは、

「メディアという公共的使命を負った事業には株主の金儲けの道具としての株主価値とは異なる事業体そのものの価値としての『企業価値』があり、株主には利益の還元という形で応えてゆけばよい」

というものでした。

では、筆頭株主になり、後にその株式をライブドアに売却した村上ファンドはどうでしょうか。通称村上ファンドと呼ばれているM&Aコンサルティング社は会社のホームページにおいて「弊社の視点」を次のように説明しています。

株式会社M&Aコンサルティングは、必要に応じて経営改善に関する具体的な提案を行う等、**株主価値**向上のための積極的かつ直接的な働きかけを行っています。

・上場の意義
会社が株式公開する目的は第一義的には資金調達にあります。そして公開した以上は、**株主価値**・企業価値を向上させる責任が経営者にはあります。

・コーポレートガバナンスの実現による**株主価値**の向上

株主利益に基づいて企業統治（コーポレートガバナンス）を実現させることで、当該企業の**株主価値**の向上を促していきます。会社資産のより有効な活用、事業の選択と集中、企業統治構造の改善などの提案を必要に応じて行っています。

企業価値という言葉より株主価値という言葉をよく使っています。

ライブドアの堀江社長は、ニッポン放送株式の大量取得の記者会見の席でこう言っています。

「結果として、ニッポンさんやフジテレビさんの**株主価値**が高まればいいわけですね。我々も今、ニッポン放送さんの株主ですが、ニッポン放送さんの**株主価値**が高まれば、我々はいいというふうに考えている。事業提携が目的で、事業提携の結果として、全体の**株主価値**が上がれば良いな、と考えているんですね」

やはり、使っているのは、企業価値ではなく株主価値という言葉です。

ライブドアによる強引な会社乗っ取りの脅威に対して、社員は反対の声明を出しました。そこでは、

「ニッポン放送には……**企業価値**があります。……それは『リスナーのために』です。いつも私たちはこのことを心の拠り所や判断基準として……」と、**企業価値**を拠り所に買収

反対を訴えています。

さまざまな企業防衛手法が繰り出され、裁判所まで争いは持ち込まれ、最後にはライブドアの保有するニッポン放送株式のフジテレビへの譲渡とフジテレビによるライブドアへの資本参加という形で、本件は一応の決着を迎えました。その共同記者発表において、基本合意に至る背景は次のように説明されています。

フジテレビおよびライブドアは、鋭意協議を重ねてまいりました。その結果、フジテレビの当初の経営方針であるニッポン放送の子会社化と、ライブドアが本来目指していたフジテレビおよびニッポン放送との業務提携関係の構築とを同時に達成することが、フジテレビおよびライブドアにとって最善の経営判断であり、**両社の株主利益にかなう**ものであることを相互に認識し、このたび、ライブドア・パートナーズの全株式のフジテレビへの譲渡、フジテレビのライブドアへの資本参加およびフジテレビとライブドアとの業務提携を軸とする基本合意に至ったものであります。

両社が共同で発表したこの文面には、企業価値という言葉はなく、「両社の株主利益にかなう」という微妙な表現が使われています。

同時に発表されたニッポン放送完全子会社化の件については、親会社となるフジテレビはこう言っています。

今後はニッポン放送およびフジテレビならびにフジサンケイグループの経営資源の選択と集中を機動的且つ効率的に行えるグループ経営体制への転換を図り、さらに、マスコミという高い公共性を有する事業を営むフジサンケイグループに要請される社会的使命と責任を果たしていくために、ニッポン放送を完全子会社、フジテレビを完全親会社とする株式交換を実施し、フジテレビを核としたグループ経営体制を確立し、**企業価値**の増大を目指してまいります。

やはり最後まで公共性や社会的使命を強調し、使われる言葉は「企業価値」ですね。

†誰にとっての「価値」なのか

この一連のやりとりは、伝統的日本企業は「企業価値」という言葉を好み、米国的発想の強い新興企業や株式投資で儲けを狙う投資ファンドは「株主価値」を使うことがよくわかる面白い事例です。ちょっとした言葉の違いに過ぎないようにも見えますが、その差に

は、

「企業価値とは誰にとっての価値か、誰が判断するのか」

という本質的な問題が横たわっています。

株主価値といえば株主にとっての価値であることは明らかで、株価という数字で表される価値だということになり、極めて単純明快です。あまりに単純明快なので、本当にそれで正しいのか、それで世の中がよくなるのか、と心配になってしまうのが、多くの日本人の素直な戸惑いです。

では、企業価値の場合はどうでしょうか？　この価値は、誰にとっての、どういう価値の話をしているのか、と正面から問うと、人により立場により、いろいろな答えが返ってきます。

よくある答えのひとつは、先ほど例にあげた私の通訳ぶりに辟易《へきえき》した社長の、「会社という存在そのものの価値、つまり社会における存在価値、重要性、が高いか低いかという意味である」

という答えです。会社は家族のような共同体であり、その永続的発展はそのまま会社の構成員の幸せにつながり、ひいては社会全体のためによい。こういわれるとたしかにそうかな、と思います。

しかし、「会社の存在そのものに価値がある」は、答えになっていません。会社というのは、何かを達成するための手段で、「仕組み」にすぎないと先に述べました。いわば、人間の生活を豊かに、幸せにするために人間が発明したロボットのようなものです。構成員の幸せのために存在していたはずの「ロボット」が、いつしか富を貯めこみ、本当は誰がコントロールしているのかわからなくなりながらも、どんどん膨張して強力になる。社員も経営者も「会社のため」と献身しなければならないような強迫観念が社内に満ち溢れ、外に対しては向うところ敵なしと競合会社をなぎ倒して強大化する割に、社員は一向に豊かにならず、誰のために、何のために成長して利益を上げるのか、それを社会に還元する価値判断を誰がどういう基準で行うのかについては曖昧なまま……。

このような曖昧さをそのままにしてひたすら突き進むことが、日本人は歴史的に得意な面があります。二〇世紀の不幸な戦争にせよ、「エコノミックアニマル」と呼ばれた高度経済成長期のサラリーマンにせよ、個人の顔と意思が見えないますますごい力を発揮する日本人の姿は、世界中の人々にとり不気味な存在であり脅威だったに違いありません。

話がそれてしまいましたが、企業価値とは会社の存在価値そのものであり、「誰にとっての？」と問うのはナンセンスだ、というのは一種の思考停止です。日本一・世界一になる、とにかく大きくなる、というのは短期的にはパワーを発揮する目標設定かもしれませんが、それは築いた富によって誰がどう報われるのかをごまかしてしまう危険があります。

†すべてのステークホルダーという事なかれ体質

よくある答えのふたつめは、「全ての**ステークホルダー**にとっての価値」という答えでしょう。会社案内の冒頭の挨拶文や企業理念のページには、「株主・投資家の皆様をはじめ、お客さま、社員や地域社会、その他あらゆるステークホルダーの方々にとって魅力的で利益をもたらす企業であり続けます」という経営トップからのメッセージがよく載っています。これは、「企業価値を高めたい」と言っているのと同じ意味ですね。

通常、会社のステークホルダーには、顧客（消費者）、株主等の投資家、銀行等の債権者、取引先、従業員、地域コミュニティ、社会一般、国・行政、等が挙げられています。企業価値を中心において、それぞれがどのような利害関係を有するかを図示すると次ページの【図2】のようになります。

「企業価値とは、これらの全てのステークホルダーにとっての会社の価値であって、株主はそのうちのひとりにすぎない」

これが、伝統的企業を中心に多くの日本人が支持する企業価値の定義ではないでしょう

図2　誰にとっての「企業価値」か？——会社のステークホルダー

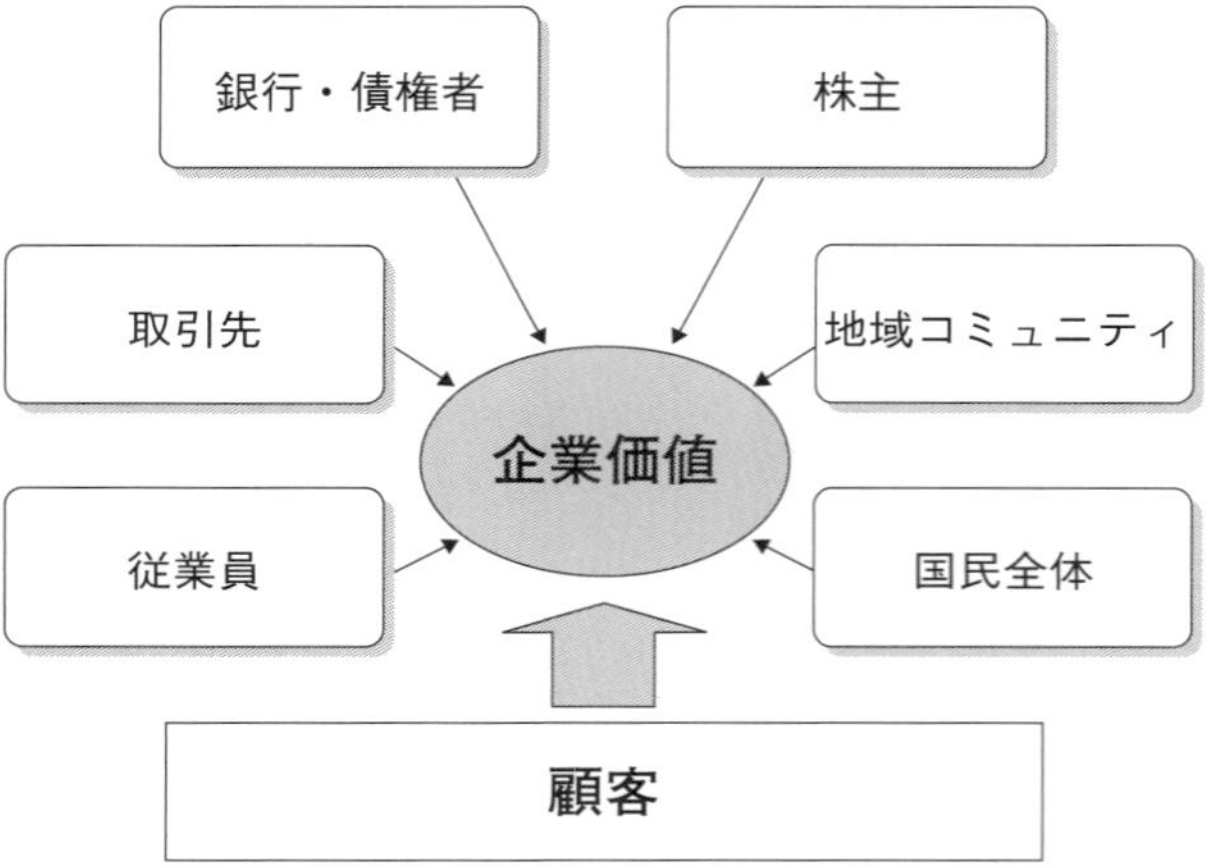

か。

会社がさまざまな人の生活に影響を与える存在だということは、疑う余地がありません。ところが、これを企業価値と呼ぶということは、「企業価値＝会社の売上」だと言っているのと同じではないか、という気がします。会社はモノを作り、サービスを提供して、顧客からお金をもらいます。会社が売上を伸ばすということは、すべてのステークホルダーがその分け前を増やせることを意味しますから、これを企業価値の創造と呼ぶのはおかしくはありません。顧客が支払う価値＝売上、を中心において、さきほどと同じようにステークホルダーの利害関係を書き直すと【図3】となります。売上

図3　ステークホルダー＝企業が生み出すキャッシュフローの受け取り手

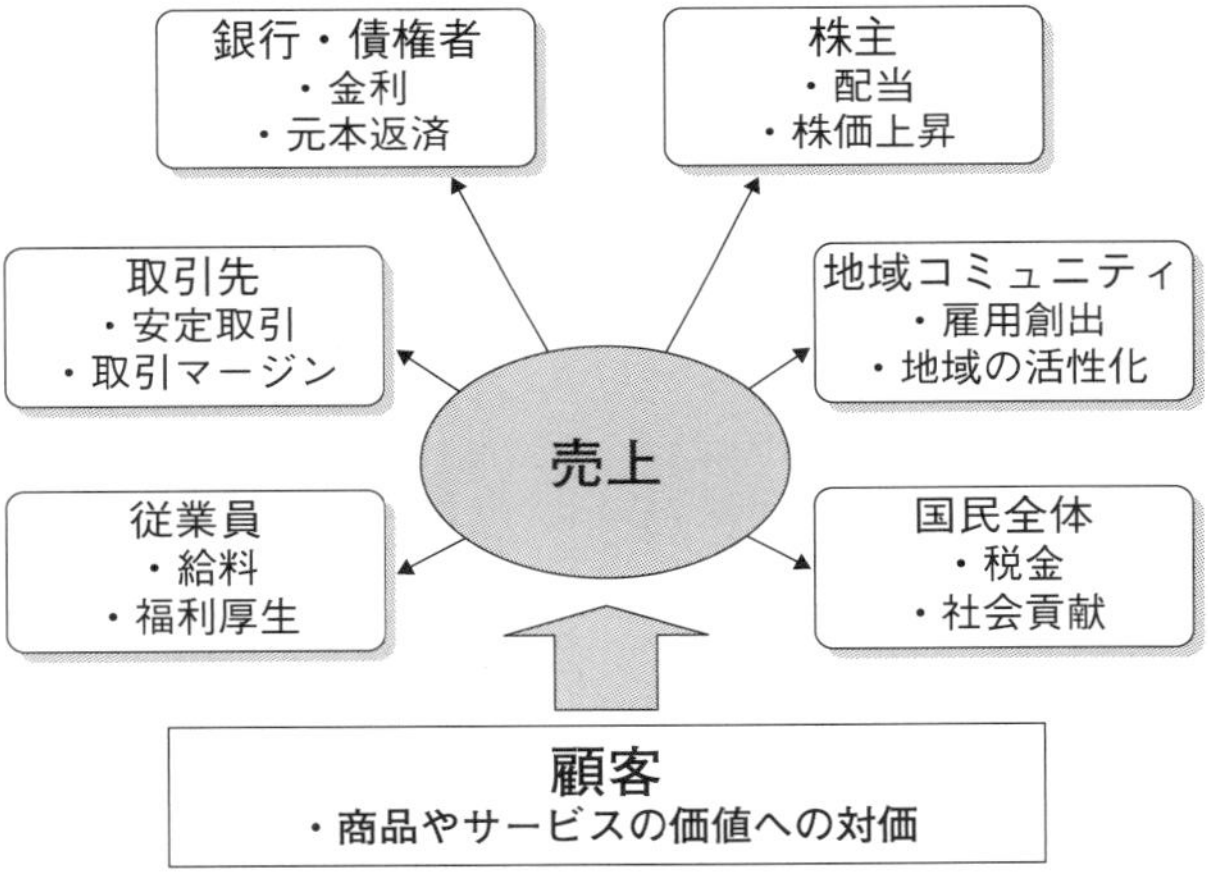

があがれば皆ハッピーになることがよくわかります。

「企業価値とは売上である」。こんな単純なことを、皆わざわざ小難しい用語を使って議論しているのでしょうか？　それは違うはずです。売上至上主義は、かつて日本経済が右肩上がりの成長を続けていた時代の発想です。その結果、日本は世界に冠たる経済大国になりましたが、同時に公害問題や過当競争、貿易摩擦、さらには銀行の貸し出し競争によるバブルの演出とその崩壊、という諸問題をひき起こしました。いけいけどんどん、で事業規模や売上を増やすことが、必ずしも社会にとっての価値を増やさない、その反省の中から、「企業価値とは」という議論が生まれてきたはずです。

このような時代背景の下、本当の意味で価値を生み出している企業か否かを判断するための尺度として、「企業価値」を算定しようとしているのに、「すべてのステークホルダーにとっての」という定義では、価値が高いか低いかを、誰の視点から、どうやって算定すればよいのかわからなくなってしまいます。顧客にとっての価値が何点、従業員にとっての価値が何点……と点数をつけて合計できればよいのでしょうが、皆が納得する尺度を作るのは不可能です。ステークホルダー間の利害は対立しています。顧客にとっては安くて良いものに価値があり、従業員は高い給料を安定して払ってくれる会社を高く評価し、株主はコストを切り詰めて利益を上げる会社が良い会社だといいます。しかし、それぞれのステークホルダーが各々の利益の立場から好きなことをいいだすと、社内は「延々と会議ばかり、されど結論はいつも先送り」という状態になります。そして、気づいたときには会社の競争力そのものが落ちてしまう、つまり企業価値が下がってしまうものです。

†誰が企業価値を創るのか

「企業価値を創造するのは、その企業活動に参加する全ての人である」という優等生的回答は、それでは何も解決しないという問題を引き起こします。材料を提供する業者、部品を作る下請け工場の職人、工場の生産ラインの労働者、研究開発を行う技術者、必要な資金を調達し資金繰りを計画する財務担当者、流通業者や最終ユーザーと販売交渉を行う営業マン……。企業活動が価値を生むためには多くのさまざまな人の努力が必要なのはたしかです。しかし、売上が多ければ企業価値が高い、と評価することは、意味のない拡大競争を生むばかりで、社会にとって良いとはかぎりません。

そこで、質問をこう変えてみましょう。企業が価値を生んでいない場合に、その責任は誰が背負うべきなのでしょうか？　多くの人は「経営者」と答えるでしょう。価値が生まれた場合その手柄は全ての参加者のものであり、生まれそこなった場合は一部の経営者が責任を負う、これはやや身勝手な言い分です。責任と権限は表裏一体、**企業が価値を生んでいない場合その責任が経営者にあるのならば、とりもなおさず企業価値を創造するのも経営者だ、**ということになるはずです。

どこからいくらで材料を仕入れるかを決定し、部品の品質を厳しくチェックし、効率のよい生産ラインを設計し、新たな商品開発のための研究活動の方向性を示し、銀行や投資家から適正なコストで必要資金を調達し、どういう販売チャンネルでどのような価格で、どういうユーザーに自社製品の魅力を訴えてゆくか……。幾多の選択肢の中から決断するのが経営者の役割であり、その判断が巧いか下手か、その決定を実行する体制をいかにうまく作れるかの手腕、によって企業価値は「創造」されたり、「毀損《きそん》・破壊」されたりするのです。オーケストラが交響曲を奏《かな》でるときには、いかに各人の演奏の技量があろうと指揮者の力量で演奏の評価が決まります。チームプレーのスポーツにおいて、その結果責任を問われるのはいつも監督であり、だからこそ勝利の栄誉を最大に享受し胴上げされるのも監督なのです。

リスクを背負い、厳しい決断をひとつひとつ下して、結果責任を取る。この役割を担っている組織のトップが企業価値の創造者だ、という事実は厳粛に受け止める必要があります。その認識が甘いと、とんでもない結果が出た場合、誰も責任をとらない雰囲気が組織に蔓延します。ここ数年、急に目立つようになった企業不祥事、人の命を預かる仕事をしている会社が引き起こす大事故のニュース、これらを目にするたびに、その会社の経営者は結果責任を取る覚悟で日頃からひとつひとつの大切な決断を行っていたのか、とはなはだ疑問に感じられます。そういう場合、経営トップが記者会見の席で深々と頭を下げ陳謝し、その後に職を辞任するのが常ですが、このような経営者が企業価値にどれほどのマイナスをもたらすかは計り知れません。

企業価値を創造するのは、たしかに企業活動に参加するすべての人たちですが、それぞれに対立するステークホルダーの利害をバランスよく調整し、ベクトルをそろえて企業の持てる力を最大限に引き出すのは経営者です。**企業価値の算定は、経営の質を判断するための基準となるものでなければなりません。**

†経営者を選ぶということ

このように相互に対立する価値を最適にチューニングしてバランスをとる、これが経営者の役割であり、腕の見せどころです。では、実際には、経営者は誰にとってのどの価値を重視して舵取りをするものでしょう？　それは、自分の経営を評価する立場の人、人事権を握っている人にとっての価値だ、というのが自然な答えとなります。資本主義の下では、それは投資家であり、会社法では、会社の取締役を選ぶのは株主、となっています。

なぜ株主が経営陣を評価しその人事権を持つべきなのか、なぜ経営者は従業員や取引先ではなく株主の顔色を見ながら経営をすることが正しいとされるのか、について疑問を持つ人もいるにちがいありません。たしかに、「こんな強欲で理不尽な株主のために、なぜ経営が振り回され、従業員や取引先にそのしわ寄せがくるのか」とやるせない気持ちになるケースも、世の中には多々あります。しかしながら、従業員が経営者を選ぶ（労働組合主導の会社）、国の役人が経営者を選ぶ（国営企業、公益法人はそれに近い）、というやり方よりは、投資家株主、つまりリスクマネーとして会社の立ち上げ資金を提供し全てのステークホルダーへの支払いの残りによって報われる立場の人、が経営者を選び評価し監督するやり方のほうが、社会・経済の健全な発展のために良い。これが資本主義経済体制を選んだ国の判断です。実際に戦後の世界の歴史を見る限りは、他の体制を選択した国よりは、たしかに元気のある企業と社会を生んでいるのではないかと思います。

企業価値創造の担い手は経営者であり、その経営者の評価は株主や投資家が行う。この基本ルールに対して、「マネーゲーム的な投機家ばかりが金儲けする世の中を肯定するのか」と感情的になるのは禁物です。民主主義社会において政治家を選ぶのはカネだ地盤だといっても、やはり国民一人ひとりの投票なのと同様に、現代社会においては、全ての国民が株主投資家になれるからです。米国での株主至上主義の歴史が物語るように、機関投資家という、一般庶民に代わって経営を監視し経営者の選択に影響力を持つ存在は、すでに日本にも育っています。国債や郵便貯金という手堅い運用もいいのですが、それが結局無駄の多い公共投資や天下り法人の経費に流れてしまうのに憤りを感じる声は強まっています。であれば、むしろ企業経営者を評価し選ぶ活動を通じて、企業価値を創造する投資家の側に自ら回ったほうが、よりよい国づくりに参加できるかもしれません。

より多くの国民が、より真剣に株式投資に取り組むことによって、市場は厚みが増します。そうなると、マネーゲーム的投機家がアブク銭を儲ける機会は減り、実態を伴わない数字づら合わせやウケ狙いをして株価を釣り上げようとする経営者を淘汰してゆくことも可能になってきます。

本章では、株主という投資家が会社のリーダーとしてふさわしい経営者を選ぶことによって企業価値は創造される、という資本主義の原理原則を確認しました。

わがままで傲慢な金持ちが、私利私欲のために便利な経営者を選んでしまうこともあるでしょうが、機関投資家をはじめすべての国民が参加できる株式市場が健全に発達すれば、株主至上主義は本当の意味で社会に対して価値を生む会社、そのような経営をできる人物、を選別淘汰する役割を果たすことができます。

「すべてのステークホルダーにとっての企業価値」という曖昧になりがちな基準より、ストレートな株主価値という基準を用い、その算定を正しく行う投資家層を育てることが、この国の資本主義社会を健全に進化させるための重要なカギとなります。この点は、会社の値段のつけかた、敵対的M&Aについて分析した後、本書の最後の章でさらに検討します。

第四章

「会社の値段」で見える日本の社会

†「会社の値段」という共通テーマ

米国的な会社の値段算定の発想は、会社を「キャッシュを生み続ける投資対象」として見る、という視点から生まれています。投資家である株主がその利益を守るための行動が、より会社の価値を高める経営者を選ぶ、という形で経営者の独走や会社の私物化にブレーキをかける役割を果たします。それが、あるときには強引とも見える会社の敵対的買収に賛同したり、機関投資家が一般庶民に代わり株主総会で役員選任にNOを宣告したりする形となって表れる米国資本主義の歴史をおさらいしました。

「企業価値を高める」という、実は曖昧なコンセプトで経営されてきた日本企業の発想は、「モノを言う株主」の登場により正念場を迎えています。

特にここ数年は、会社経営をめぐる大きな事件は枚挙にいとまありません。雪印や三菱自動車のような一流企業が不祥事を起こし致命的な打撃を受け、山一證券や日本長期信用銀行といった金融機関、ダイエーや西武グループといった巨大企業も破綻する時代です。名門の看板を守ろうと粉飾決算を繰り返し、元経営陣と会計士が逮捕されたカネボウの事件は、無責任経営、大企業病の典型です。その一方で、日産や新生銀行（旧長銀）のように、外国企業やファンドの経営支配の下で立て直される例も出てきました。ゴルフ場などの不動産、不良資産を買いまくって利益を上げる外資系企業、株を買い占めて物議をかもす投資ファンドも同時にたくさん登場してきました。

これらの出来事は、大きな会社や歴史ある会社は安心で信頼できる、という日本人の常識を覆しつつあります。何が原因で、どういう経緯でこのような世の中になってきたのか？　その疑問を解くカギを探ってゆくと、**別々ばらばらに見える過去二〇年のいろいろな事件がすべて必然的な流れを持っていて、実は根っこで「会社の値段」という共通テーマでつながっている**ことがわかります。

†全ては「金余り」からはじまった

日銀が先日発表した日本国民の個人金融資産は、一四二三兆円です。気が遠くなるような大きな数字です。これには不動産として持っている資産は入っていません。戦後の焼け野原の時代から、必死に働いて無駄遣いせずこつこつ貯めたお金、経済成長の波に乗り持っていた土地が高く売れたお金、いい品を安く海外輸出したことによって獲得したお金、これらの合計です。この蓄積された日本人の「富」は、日本人の生活を豊かにし、憲法前文で謳っているように、日本を、「国際社会で名誉ある地位を占め」る国とするために投資という形で使えるはずのカネです。

お金というのは、人間の体における血液と同じです。体中を循環し、必要な場所に酸素と栄養を供給して体を元気にし、成長させせます。循環せずにどこかに溜まってしまうと、体はむくみ、不健康になります。お金が必要なところに必要なだけ回って世の中を元気に成長させる、その仕組みを設計して正しく機能させるのが政治の役割であり、法律、税制をはじめとした国の制度はそのためにあります。一九九〇年代の半ば以降、倒産するなどと想像もしなかった会社が潰れ、あるいは業界再編の津波の中で大規模なリストラが行われました。その一方では、元気一杯の若い経営者が、株式公開によって大金持ちになったり外資系企業で活躍して、億単位の年収を受け取ったりする世界も出現しました。

これらの出来事に不条理さを覚える人は多くいると思います。しかし、実は**その不条理さは、日本人が蓄えた富をどこにどういう形で投資するかについて無頓着だったために、余った金が右往左往してしまった結果**です。金余りが日本の多くの会社に信じられないような激震を引き起こした流れを追ってみましょう。

†高度経済成長の終わりからバブル崩壊へ

せっかく貯めた国民の財産はどのような形で豊かな国づくりに再投資されるのでしょうか？　戦後の日本、いや明治維新以降ずっと、日本は「欧米に追いつけ追い越せ」を目標に臥薪嘗胆《がしんしょうたん》がんばってきました。二〇世紀といえば、産業革命、工業化の世紀です。繊維産業からはじまり鉄鋼、プラスチックという素材産業、電器製品に自動車、そしてコンピューターに半導体、どれも工場での大量生産により競争力をつける必要のある産業です。これらは資本集約的な産業、つまり大きな資本を調達して設備投資し、利益があがればまたその資金を再投資する、その繰り返しにより国際的競争力をつけ成長を続ける産業です。

敗戦により一からやり直し状態になった日本は、国と民間が一体となり、国の競争力を高める産業へ限られた資本を集中投資しました。そこで大きな役割を果たしたのが銀行です。貯蓄が奨励され、まじめに働いて稼いだ国民の金は銀行預金として集められ、会社に貸付けられました。会社はその資金で工場設備に投資し、雇用を創出し、安くて品質の高い製品を大量に生産して、海外に輸出し外貨を稼ぎました。この時期は、日本の「血行」が極めてよかった時期で、私がかつて勤めていた日本興業銀行は、日本の経済的復興に大きな役割を果たしたといわれていました。

一九八〇年代、私が銀行に入った頃は、すでに会社をひたすら大きくしひたすら売上を伸ばす戦略、同業他社がひしめく中でいかにシェアを伸ばすかを競い合うというスタイルに限界がきていました。高度経済成長は公害等の環境破壊をもたらし、二度の石油ショックを経て大量生産、大量消費による成長でいいのかという疑問も提起されはじめました。

日本の貿易黒字は巨額にのぼり、「エコノミックアニマル」と日本人は揶揄《やゆ》されてもいました。

銀行に集められたお金は、正直どこへ投資すればいいのかよくわからなくなっていった、と今振り返ると感じます。そのような、行き場を失ったお金は、土地の取得とそこでのリゾートやゴルフ場開発に振り向けられたり、海外のホテルや会社を買い漁るM&Aに向かったりしていきました。これが、一九八〇年代後半のいわゆる株・不動産バブルです。有り余った資金が一気に流れ込み土地の値段を高騰させ、これはいかんと政府（当時の大蔵省）があわてて蛇口を閉めようと銀行に貸出し規制を行ったことをきっかけに、バブルは崩壊しました。

†バブル崩壊から貸し渋りと金融再編

それから一〇年以上にわたり、銀行はバブル時代に企業に新たな事業開発を促し貸し込んだあげく焦げ付いた不良債権の処理に追われます。長年、「護送船団方式」といわれるやり方で、同じようなサービスを同じように提供しながら競い合ってきた銀行は、行政の「回れ、右!」の合図とともに、返済の滞った貸付金を焦げ付いたものと見なして損失として計上させられることになります。とはいっても、国民から預かった預金を「すってしまいました、ごめんなさい」と言うわけにはいきません。安心、安全だからこそ皆が虎の子の貯えを預ける、まさに信用こそが銀行の存在意義であり、であるからこそ人体でいう心臓、つまり血液を体中に循環させるポンプの役割を担えるのです。

ところが、実際に銀行は「すって」しまったことが明らかになりました。そこで国が、国民の税金を投入して心臓マヒを防ぎました。これが公的資金による銀行救済です。その代わりに国は、

「これ以上不良債権を増やすな」

「そもそも日本には銀行が多すぎるから、合体してダブった支店を統合して、経営効率を高めなさい」

と銀行経営への監督を強めます。こうして、いわゆる「貸し渋り」「貸しはがし」が起こります。これまで「借りてください」といわれる環境に慣れきって、ずっと返さず借り続けることができるのが当然、という経営をしてきたのですから、融資を引き揚げられることによりたちゆかなくなる会社が続出するのは当然です。すると不良債権はますます増え、銀行の損失は底無し沼に陥りました。

†銀行の機能不全からハゲタカファンドの登場へ

この状態は、いわば、いたるところで閉店セールが行われているようなものです。全ての銀行が、全ての会社が競い合うように在庫の中で金になるものを処分する、待てば待つほど値段が下がる、そんな世の中になりました。いわゆるデフレという状況です。銀行はお金を貸すという本来の活動を止めて、在庫処分に奔走せざるを得なくなったのです。

が、相変わらず金は世の中に有り余っているのです。バブルの崩壊によって多くの富が失われた、と言われますがよく考えてみてください。富を失ったのは高値で株や不動産を買った人ですね。では、売った人はどうなったのでしょう？　たくさんの現金を手にしてほくそえんでいる人が同じ数だけいるはずです。最も金儲けのうまい人はこの状況でどうするでしょうか？　高値で売って儲けた金を持ったままじっと値下がりの嵐を眺め、下がりきったところでまた買い集めればよいのですね。この専門家が**ハゲタカファンド**といわれる人たちです。有り余った金をファンド（投資の基金）として吸い上げ、その資金を使って泣く泣く叩き売りに出た債権、不動産、会社を買い取ります。買い取った資産を適正な値段で売るだけでずいぶん儲かるはずですから、売り手の弱気に付け込んで、どんどん安く買ったものが勝ちです。

その姿は弱った動物（会社や銀行）に群がってその肉を骨までむさぼるハイエナやハゲタカにそっくりなのでこの名前がついていますが、やっていることは、一時が万事悪徳、というわけではありません。**銀行が本来果たすべき資金循環機能を失い、会社が酸素不足で窒息しそうになったので、その代わりを果たしたのがファンド**です。安くてもその値段で売りたいという人がいるからその値段で買い取り、次にもっと高い値段でも買いたいという人を見つけてその値段で売り、その結果儲かる、というのはごく普通の商業活動です。それをする勇気のある、つまりリスクを取ろうとする人があまりにも少ないので、値段が下がりすぎ、その結果大儲けするチャンスを手にすることができたとしたら、そのこと自体を非難するのは、「リスクをとるのは悪いことだ」と言っているのと同じになってしまいます。

これは、江戸時代の豪商・紀伊国屋文左衛門と全く同じ行動パターンです。風波により航路が途絶え、輸送できなくなったみかんが大量に余り値段が下がっていった、その頃江戸でみかんの値段が上がっていることを知った文左衛門は、決死の覚悟で江戸へみかんを運び大きな利益を得ました。勝負の分かれ目は物の値段、適正価値を見極める目の確かさと、その適正価値より安くても売りたい人、適正価値より高くても買いたい人、を見つけ出す能力にあります。紀伊国屋文左衛門のみかんにあたるものが、ハゲタカファンドにとっては銀行の不良債権であり、資金繰りに困った会社だったわけです。

「みかんを紀州から江戸に運んで巨利を得るのと、資金繰りに困った会社の借入金を銀行から安く買い叩いてからその債権を回収して儲けるハゲタカファンドを、一緒にしてはいけない。こんなのは火事場泥棒だ」

という感想をもつ人も多くいるでしょう。これはなかなか難しいところです。銀行が「回収不能」とみなした貸出金を二束三文でハゲタカファンドが買い、一生懸命、ときには強引に、その債権を回収した結果ファンドは利益を上げるのですが、それは、困った会社から強引に貸付金を返済させる（貸しはがす）ことにつながります。それによって会社が倒産するとしたら、せっかく投入した国民の税金は困った会社を助けるために使われるのではなく、ファンドを肥やすために使われたことになってしまいます。それがまさに「火事場泥棒」に見えるゆえんです。

では、どうすればよかったのでしょう？　銀行がきちんと回収可能性を審査・判断し、適切な値段でハゲタカファンドに売っていればよかったのですね。値段さえ適切であれば、ファンドが濡れ手に粟の利益を得ることはできません。銀行が強引な貸出金引き揚げを自分でやればよかった、とも言えます。それは実際に行われていて、やりすぎたからこそ貸し渋り、貸しはがしが社会問題となっていたのです。金融庁は、国民の税金を銀行救済に投入したこともあり、どの債権が不良債権かを銀行の判断に任せず、自ら審査・認定するようになりました。その結果、不良債権と認定されればそれを損失として計上しなければなりません。損失を取り返そうと回収に力を入れすぎると、今度は「貸しはがしはいかん」となるわけです。銀行は完全に身動きのとれない状況に陥っていました。窮した銀行に対してファンドが近づいてきて、肩代わり話を持ちかける、不良債権買取りの値段交渉は、当然ファンドが強くなるはずです。

ハゲタカファンドが大きな利益をあげられるとき、その背景には市場原理がうまく働いていない、という環境があるのです。

銀行は長い間行政の厳しい指導下に置かれていたせいか、横並びで一斉に同じ方向に動き出す傾向を持っています。どの世界でも、皆が同じ方向に動くとモノの値段は適正な範囲を突き抜けてしまい、ある程度行き過ぎると、今度は皆が一斉に逆噴射して反対側にまた突き抜けるものです。それに加えて、金融庁という行政機関が不良債権の認定を行い始めると、総論としては正しくても、個別にはおかしな値付けが起こることは容易に想像できます。不動産の値段が不当に低く評価されていたり、本業でしっかりと利益を上げている会社が一刀両断に「要注意先」と認定されて新たな貸し出しができなくなったり、というケースはどうしても生まれます。これは金融庁の人間が優秀か否かの問題ではありません。どんなに優秀な人材が集まっても、個別の事情を事細かに調べて正しい判断を行うだけの時間と手間の余裕がなかったのです。一律、杓子定規に判断せざるを得なくなる結果、査定価格と市場価格がずれたケースが生まれてくる、それをハゲタカファンドはめざとく見つけ出すのです。

†ハゲタカと事業再生

「ハゲタカファンド」という、いかにもイメージの悪い呼び名でこれまで話を進めてきましたが、外資や金融機関に偏見を持つ人たちが「ハゲタカ」と呼ぶいわゆる投資ファンドにもいろいろなものがあります。それらは**企業買収ファンド**でもあり、**債権買取りファンド**でもあり、**不動産投資ファンド**である場合もあります。それらは総称して「**プライベート・エクイティ・ファンド（PEファンド）**」と一般に呼ばれています。そして、その多くは**事業再生ファンド**でもある、というのが実態です。事業再生という名前を使うと社会のためになる仕事をしていて、ハゲタカと呼ぶと邪悪で冷酷な拝金主義者のように受け取られますが、その両者をきれいに区別することはできません。不良債権を回収するために一番いい方法は、その会社を再生して借金返済力を高めることですから、両者は不可分一体だと考えるほうがむしろ自然なのです。

事業再生という活動が二〇〇〇年あたりから盛んになったのはなぜでしょうか？　外資が「日本を乗っ取るチャンスだ！」と続々と上陸してきたからでしょうか？　きっかけはたしかにリップルウッドによる長銀（今の新生銀行）買収であり、ゴールドマン・サックスによるゴルフ場買収だったかもしれません。しかし、そう言って「黒船襲来」と大騒ぎするのはかなり筋違いです。

外資に限らず、事業再生ファンドが目をつけるのは、先程述べたとおり不動産の値段が不当に低く評価されていたり、本業でしっかりと利益を上げている会社が一刀両断に「要注意先」と認定されて新たな貸し出しができなくなる、という事例です。それを引き受けて、「再生する」というのはどういう手法なのかを簡単に説明しておきましょう。

事業再生がうまく機能する場合とは、本業がきちんとしていて利益をあげられる、将来に向けての投資をきちんとすれば成長できる、そういう事業を持っている会社の場合です。なぜそれを自力でできないかというと、もちろん経営者の力量が足りない場合もありますが、多くの場合、それは本業と関係のないゴルフ場開発やリゾート開発などの分野で多額の借金をして、その返済のために本業の利益がどんどん吸い取られてしまうからです。働けど働けどバカな過去の投資のツケを払うことに利益が吸い上げられて、将来に向けた投資ができなくなってしまう、それにより社員の士気が落ち、優秀な社員が辞めてしまう、採用できなくなる、そしてますます本業の元気がなくなる、という悪循環に陥ります。これは社会全体にとってもったいない状況です。

事業再生の専門家は、そこで良い部分の本業と悪い部分のバブル遺産をきちんと分けたらどうなるかを考えます。本業部分が本来の力を発揮したらどれだけの価値があるかを算定し、他方バブル遺産を一括で処理するには銀行や債権者にどれだけ泣いてもらえばいいか、を算定します。これまでの常識では、銀行の融資担当者は自分が行った貸し出し債権が焦げ付くと自分の将来の出世が危ぶまれるので、本業から切り離して処理することに徹底的に抵抗したがるものです。そのような「銀行側の事情」は問題の先送り、本業のますますの衰退につながりがちです。ところが今回、銀行は金融当局から「さっさと不良債権を処理しなければ、銀行自体が潰れるぞ」と迫られているわけですから、「膿《うみ》を出し切る」という大号令の下、バブル遺産を二束三文で売っても融資担当者は責任を問われない状況となりました。その結果、無事本業部分に「血液」「酸素」として投資ファンドが提供する資金が使えるようになり、本業が活力を取り戻します。こうして事業の価値が上がることによって、ファンドは投資を回収し利益をあげるのです。

新生銀行の場合は、国が不良債権の損失は後になって発生しても面倒を見るという有名な「瑕疵《かし》担保条項」つきでしたから、再生が簡単すぎ、国はお人好しすぎ、という批判につながりましたが、この一件だけをみて投資ファンドの性格を「ハゲタカ」と決めつけてはいけません。

†事業再生と企業スキャンダルのつながり

事業再生プロセスは、人体の外科手術に例えてイメージするのがわかりやすいと思います。悪い菌が体に入って熱を出す、これは人の体がその悪い菌と戦っている結果であり、通常は人体の抵抗力が勝つので、しばらくすると熱は下がります。それを助けるために抗生物質などの薬のサポートを受けることもあります。これは銀行や取引先の一時的な支援のようなものです。ただ、人の体も薬漬けになるとかえって弱くなります。そのような体に強いウイルスが侵入したりガン細胞ができたりすると、体の一部が再生不能なほどに破壊されてしまいます。こうなったら、命を守るために、その部分は切除するのが正しい判断だ、ということになります。その判断は遅れれば遅れるほど手術の成功確率が下がりますし、たとえ成功しても、元気を回復するまでにより苦労せねばならなくなります。

その判断の遅れはさまざまな理由から起こります。毎日仕事が忙しく入院するのがおっくうである、大事な自分の体の一部を切り取るのは悲しい、医者によってお奨めの治療法が異なりどれが正しいのかわからなくなる……。自分ひとりの頭で決められるはずの自分の体についてですら迅速に判断するのが難しいのですから、利害の異なる赤の他人が集まっている会社の再生計画がまとまらず、問題が先送りされがちになるのは、当然といえば当然の話です。

このような事業再生の局面と企業の不祥事、スキャンダル発覚の間には密接な関係があります。企業の経営不振から不祥事・スキャンダル発覚によるトップの辞任は、典型的には以下のような経路を辿《たど》ります。

バブル遺産のツケにより経営難に陥った会社には、単純化して四つの異なる利害関係者が絡み合います。株主、銀行、取引先、そして社員です。

債務超過に陥る、つまり会社の資産を全部売り払っても借金が返しきれない、という状況では通常、株式は「紙くず」になります。株主というのはそういう立場でハイリスク・ハイリターンを狙っている人たちですから、会社が債務超過に陥ってしまうと発言権は弱くなります。それに代わって取引銀行の力が強くなりますが、この人たちは自分たちが貸した金さえ返ってくれれば、「後は野となれ山となれ」というドライな側面を持っています。一口に取引銀行といっても、いわゆるメイン銀行とそれ以外の銀行ではまた立場が違います。メイン銀行は常々おいしいところもたくさん取ってきたのだから尻拭いも責任を持て、といってメイン以外の銀行は先に回収して逃げ出そうとします。そういう状況に陥ると、今度は取引先があわてはじめます。自分が納品した品の代金が払ってもらえない、この会社の商品を売ってもアフターサービスが心配だ、等々の理由で会社と取引を続けるのに腰が引けるようになります。本業部分でなんとか踏ん張っている社員はといえば、給料の支払いがいつまで続くのかと不安になり、取引先からの締めつけが厳しくなり、競争相手に比べて将来に向けての投資のなされない自社の状況に悲観的になるのも無理はありません。

それらの異なる利害関係者（それも皆殺気立って余裕がない人たち）のバランスをとり利害を調整すべき立場の人、すなわち人体でいえば頭脳の部分にあたる人は誰でしょうか？

本来は、社長であり経営者です。ところが往々にして、この頭脳の部分が肝心なときに果たすべき役割を果たせず思考停止、パニック状態に陥ります。これには大きく分けて二つのパターンがあります。

ひとつは、サラリーマン型経営者の場合です。社内の「身内の論理」の世界をうまく泳ぐことは得意だが、強い信念とリーダーシップを発揮してバラバラになる組織を束ね、外に対して粘り強く交渉することはあまり得意ではないタイプの経営者です。この場合、経営者の本音は、

「ずっと前からこうしてきたのに、なぜよりによって俺の時にこんな問題が表面化するんだ。せっかくいやなことも我慢して出世の階段を登り、社内の敵を蹴落としてここまでき

たのに、世間の批判にさらされるなんて割に合わん」

ですから、できるだけ穏便に解決しようとして問題を先送りしがちです。

もうひとつのパターンは、ワンマンオーナー型経営者の場合です。長年王様として君臨してきたオーナー経営者は、多角化、新事業開発という形でバブル資産を築いているケースが多いものです。なぜならば、銀行はその時期競って新たな貸し出し先を取り合っており、思い切った意思決定のできる社長は格好のターゲットとしておだて祭り上げられていたからです。その結果、ゴルフ場買収、ホテル買収などをどんどんやってしまったわけですが、こういうオーナー経営者は経営難に陥った場合にも同じようなリーダーシップを発揮できるでしょうか?

残念ながら、多くの場合NOです。オーナー経営者は、通常会社の大株主でもあり、まずは自分の持っている株の価値がなくなってしまったことに憤慨しています。そして、それは銀行がよけいなことをいってそそのかしてやらせたことであり、自分が悪いのではない、と感じています。にもかかわらず、銀行は手の平を返したようにオーナー社長の責任を追及します。自分の家や個人資産まで差し出して丸裸にさせられる恐怖も相俟《あいま》って、オーナー経営者は銀行や取引先の事業再生提案をまともに聞く耳を失います。

いずれにしても、船に穴があいて浸水している緊急事態に、船長がこのような状況のまま舵を手放さないとしたら沈没は免れません。健全な本業部分や真面目でやる気もある社員の持っている価値がどんどん目減りしてゆく状況下、無理矢理にでもとりあえず船長を引きずり下ろそう、と銀行、取引先、現場社員の意見が一致するわけです。内部告発に端を発してトップが辞任する「企業スキャンダル」が相次いでいるのは、このような事情が背景に横たわっているケースが多いのです。これまでなら見過ごされていた、大目に見られていた、あるいは封印できていた問題なのに、なぜ今になって急に？　という疑問も、会社をとりまく環境の変化、先送りが許されなくなった会社の状況を理解すればなるほどと納得できます。

†ハゲタカファンドから産業再生機構へ

バブルの負の遺産部分に切除手術をほどこして、本来力のある事業を再生しようという発想は、世のため人のためによいことだと多くの人は納得するでしょう。それが実際にはなかなか進まないのは、さまざまな利害関係者の思惑がぶつかりあって、建設的に議論がすすまないためです。その局面で問題解決を率先すべき経営者にも自己の利益や名誉・メンツがあり、聖人君子的な行動を求めても無理があることは先に述べたとおりです。しかし、企業スキャンダル等を通じてトップを更迭しても、それだけでは利害関係の対立はなかなか解消しません。

「貸した金をちゃんと返して欲しい、元気な本業で稼いだ金で返すのは当たり前だろう」

という銀行の言い分と、

「前の社長がバブル投資に走ったのは『いくらでも金は貸すからどんどんやりましょう』とけしかけた銀行のせいだ。その部分は先代含めた経営者と銀行の間で清算してケリをつけてくれ、こっちは本業部分で厳しい競争にさらされているのに足枷《あしかせ》をつけられてはとても勝ち抜けない」

という事業担当現場側の言い分は平行線をたどり、問題解決は多くの場合時限爆弾の爆発寸前まで先送りされます。事業の持っている本来の価値よりも市場の評価額が低くなるというギャップがそこに生まれると、ハゲタカファンドが目をつける流れは先に説明したとおりです。

血液と酸素が欠乏しがちな企業を助けるための「再生ファンド」は外資にかぎらず多く生まれたのですが、不良債権処理の部分で銀行との交渉がボトルネックになり、再生ファンドが入れなくなるケースが多発します。過去のしがらみやバブルの責任は全部メイン銀行のせいで、再生によるプラス部分は全部後から来たファンドのもの、というのでは銀行側は面白くありません。しかし、同時に事業再生はとても大変でリスクも背負う作業、うまくいったら十分利益をあげられる、ということでなければファンドも火中の栗は拾えません。特に、ダイエーのような、巨額の銀行借り入れがあり、事業の再生にも手間と時間がかかる場合はなおさらです。こうしてまた再生が立ち往生してしまう企業が出てきます。

そこで生まれたのが**産業再生機構**です。

「銀行の不良債権処理には国民の税金が使われるのだから、それはできるだけ少ないほうがいい」

↓「銀行間の利害対立や銀行と会社経営者の対立の調整は、政府がバックについた公的力を持ったところがやったほうがうまくいく」

↓「別に外資に頼らなくても事業再生できる人材は日本にたくさんいる」

↓「それならば**再生ファンドにあたる部分も政府がやって、再生によるプラスの部分を政府が取ったほうが国民のためにいい**じゃないか」……

これが産業再生機構誕生に至る大きな流れです。産業再生機構は形としては民間企業であり、利益を上げるために全力を尽くすという意味で民間の再生ファンドと変わりませんが、資金提供や保証は国が行っているので、純粋の民間企業とも違います。機構が間に入った再生案件は、銀行の不良債権処理上の分類や税務上の処理が明確になる、というメリットもあります。設立当初は政府が介入して事業が再生できるものか、とその成功を疑問視する声も多くありましたが、三井鉱山、カネボウ、ダイエー、といった大型の再生案件に積極果敢に取り組み、成果をあげています。過去のしがらみや、責任の所在が不明確だ、という理由で押し付け合い先送りが多くなりがちな状況において、悪循環を断ち切るためのきっかけ、触媒の役割を果たしているといえるのではないでしょうか。

†事業再生と外人社長

日産自動車という伝統ある日本企業が、長年の不振に苦しんだ後、ルノーの資本参加とカルロス・ゴーンという外国人社長の就任により劇的に変化し、復活したことは教科書的なモデルとして各方面でとりあげられています。

このケースもこれまで説明してきた事業再生のパターンと全く同じです。責任の所在が曖昧なまま、過去のやり方をずるずると続けがちな日本の会社、まずいとは思いながらも過去のしがらみを引きずってしまいがちな日本的経営者、それを断ち切るには、むしろ外国人のほうがよさそうです。

「いろいろ事情がありましてそこのところをなにとぞご配慮くださいますよう……」

といった日本語特有の説明は、あの人にはいかにも通用しなさそうです。

「配慮すべき点は何と何で、なぜ配慮が必要なのか理由を述べてください」

とやり返される姿が目に浮かびます。そして同時に彼は年齢や役職に関係なく、会社を良くしたいという情熱と、約束したことについて必ず結果を出す実行力のある社内の人材を、どんどん抜擢しました。明確なビジョンとリーダーシップがあれば、社内に眠っていた力を呼び覚まし、大きな組織でも短期間で再活性化するのが可能なことを、ゴーン社長は証明してみせました。

「日本には日本独特のやり方が……」

「そんな急激な変革をしようとしたら組織が崩壊する」

といった言い訳がしにくくなる前例を作ったという点で、日産の復活劇に元気づけられた中間管理職、若手世代は結構多くいることでしょう。

投資ファンドの出資を受けて「よそ者」の経営者がはいってきても、長年培《つちか》われた会社の風土、終身雇用と年功序列で硬直的になっている日本の組織は、欧米のように簡単には変えられないよ、というあきらめ感を私自身もふくめ多くの日本人は持っていたと思います。しかしながら、事業再生という特殊な分野でまずは成功事例を作ることを通じて、グローバルスタンダードの経営手法が日本の会社の経営にも適用できる場面が増えてきています。

†若手起業家の登場とネットバブル

右肩上がりの経済成長からカネ余り、バブルの発生と崩壊、その後長引く負の遺産処理、という時代の流れをこうやって追ってみると、新しい成長産業や沈滞したムードを一新する経営者を待望する世間の空気が膨らんでゆく背景が見えてきます。特に若い世代にとっては、後ろ向きの処理に追われる既存の大企業で組織の論理に埋もれてしまうことへの不安と欲求不満が高まるのは、無理もありません。バブル崩壊から一〇年以上も先行きの暗い話ばかり聞かされて育った若い世代にとっては、

「会社に入って一生懸命働いても使い捨てられるだけだよ。俺の親を見てみろ」

という気持ちになったり、

「過去の負の遺産の押し付け合いをしている経営者や上司が、どんなに理念やビジョンを謳っても、本音は自分の退職金までのことしか考えていないのが見え見えだよ」

とシラケてしまったり、

「上の世代は、年功序列でしっかり高給をもらい退職金も約束され、その上年金ももらえるようだけど、自分たちは貯金もたまらず将来は約束されず、上の世代の年金負担まで増えてしまうらしい。考えただけでも気が重くなる」

と滅入ったりすることが多いのが実情でしょう。

既存の組織に入って一からコツコツ積み上げることに不安と疑問を感じるこの世代にとり、「能力とやる気があって勝負したい人には何でもさせてやる」という外資系企業やベンチャー企業が魅力的に映るのも無理はありません。

折しもコンピューターからインターネットへ、アナログからデジタルへ、という技術革新の大きな波が世界を飲み込み、パソコンやゲームをいじりながら育った若者が社会経験豊富なビジネスマンと対等以上に渡り合って価値を生み出せる世界が出現しました。

マイクロソフト、アップル、ヤフー……若い起業家がガレージで立ち上げたような会社が、革新的な技術とアイデアにより新しい世界を切り開き、世界中にその名をとどろかせる大企業に成長する、そんな伝説的な夢物語が米国西海岸のシリコンバレーを中心に数多く生まれました。工場も持たず、社員が一〇〇名にも満たない会社でも、画期的なビジネスモデルがあれば、株式公開をして何十億、何百億円という資金を集められる、創業者はあっという間に億万長者、社員もストックオプションで大金持ち……。いわゆるネットバブルが米国に起こり、それはそのまま日本に広がりました。

インターネットとデジタル化が世の中に大きな価値を生んでいる事は誰も否定しないでしょう。情報の流通は飛躍的に便利になり、コストが下がりました。一人暮らしの私の母親でさえも、楽しみが増えた、と喜んでいるのですから、社会貢献度は絶大です。その価値を生むにあたって、革新的な技術や仕組みを開発し世に広めた経営者は、若手であろうがノーネクタイであろうが評価されるべきで、億万長者になるのもある意味当然でしょう。
しかし一方で、実際どんな画期的な何を世に生み出したのかよくわからないまま起業家気取りをしている若者もたくさん生まれ、その一部は首尾よく大金持ちになりました。なぜでしょうか？　その答えは最初に戻ります。世の中に相変わらず行き場のないカネが余っているからです。

マイクロソフトやヤフーのような会社の創業期に投資するというのは、いわば一億円の宝くじを当てるようなものです。余ったカネの運用先として一〇〇社のベンチャー企業に投資してそのうちひとつしか成功しないとしても、その一社が大当たりすれば元がとれるのです。このような発想で、若手起業家のアイデアにどんどん投資資金が流れてゆきました。これがネットバブル誕生の背景です。

バブルの絶頂期、私は楽天の三木谷社長（当時はまだ注目されればはじめたばかりの小さな会社でした）に誘われ、六本木のベルファーレというディスコを借り切って盛大に開かれたネット起業家のパーティーを覗きに行きました。そこにはたしかにソフトバンクの孫社長や三木谷社長のような起業家がたくさんいたのでしょうが、むしろ私の目についたのは、一攫千金の投資先を探すベンチャーキャピタルの担当者や金融機関の人たちと、派手な女性を引き連れて起業家気取りをしている若者たちでした。異様な光景についてゆけずあきれていた私の横で、三木谷氏が、名刺交換を求める若者に対して、「お前らパーティーばっかりやってネットワーク作りばかりしてないで真面目に働けよ！」と怒っていたのはせめてもの救いでした。

案の定、バブルはほどなくはじけ、多くの「なんちゃって」起業家は淘汰されるわけですが、それでもバブルの絶頂期に自分の創業した会社の株式を高く売って大金持ちになった人たちはいます。ベンチャー起業家が「儲けた」という億単位のカネの実体は何なのか、については第六章で検討しますが、それではすまされないケースもあります。上場ベンチャー企業が架空売上を作り粉飾決算を行い関係者が逮捕される、という事件も新聞を賑わしています。これらはまさに上場株式市場を利用して投資家をだまし、金を盗み取る行為に他なりません。

なぜそんな会社の株式に高い値段をつけて買ってしまったのか、と悔やんだ投資家は「二度と株には手を出すまい」という気持ちになるでしょう。しかし、バブル崩壊で痛い目に会った経験を糧《かて》として、「会社の値段、適正価値」についてもっと勉強しなければ、いかさまが通用しない株式市場作りをしなければ、と皆が真剣に取り組むようになることは、とても大切なことです。

そんなＩＴバブル崩壊、株価暴落の波をくぐり抜けて楽天やライブドアに代表される「勝ち組ネット企業」は二〇〇四年頃から活発な企業買収を繰り返し、メディアをはじめとする既成業界に対して攻勢をかけはじめました。このあたりの最新動向については、本書の後段でさらに検討することにしましょう。


ここまでで米国流の投資価値算定の考え方、米国の株主至上主義発展の歴史、日本独特の「企業価値」という言葉の曖昧さを頭に入れていただき、日本の過去二〇年を振り返りました。会社に値段をつけることにより資金の流れがよくなり経済活動が活発になること、そして、**会社の値段を正しくつけそこなうといかに社会、経済が混乱するか、**も多少身近に感じられるようになったのではないでしょうか。これで、

「会社の値段は誰がどうやって決めるのか」

という本題に取り組む土台が整いました。

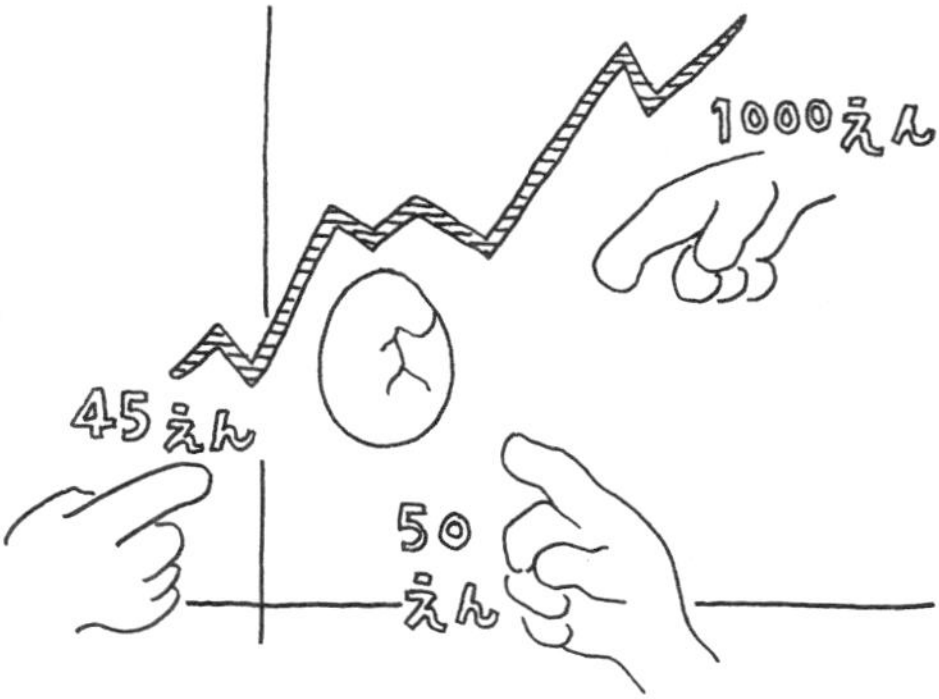

第五章

企業価値算定

実践編

†基本公式をどう使いこなすか

会社を「金の卵を産み続けるガチョウ」としてイメージし、外見や大きさではなく産む卵の数で値段をつける。これが会社の値段算定の基本だと第二章で述べました。米国流の単純明快な価値算定原則は、

「将来キャッシュフローの現在価値」

であり、これは利息を生むローンや不動産の価格算定など、全ての投資対象、金融商品の値段を算定する方法として使われています。そこから、企業価値算定の基本公式として、

企業価値＝C／（r－g）

が導かれるところまでは先に説明した通りです。

公式はその通りかもしれないが、Cはともかく、rやgは何％と置くのが正しいのか。コンマ数％違うだけで価値が大きく変わってしまうので、正確に企業価値を計算することはこの公式では無理なのではなかろうか……。これが読者の多くの素朴な疑問でしょう。

精緻なファイナンス理論では、あるべきr、つまりリスクを数値化する手法、について

さまざまな研究がなされています。アナリストやファンドマネージャーといった投資の「プロ」はもっと複雑な数式やモデルを使って価値算定をしています。そうだとすると所詮素人では太刀打ちできないと考えたくなるでしょうが、実はそうでもありません。

†倍率は本質を語る

株価算定によく使われる手法として、**PER（Price Earning Ratio、株価収益率）**という倍率方式があります。「この会社のPER二〇倍は妥当な水準である」「いくら成長性が高いといってもこのベンチャー会社のPER八〇倍は高すぎる」という風にアナリストたちは株価の妥当性をPERで評価します。日本の会社の平均PERは今一七〜二〇倍程度といわれていますが、これは米国市場の二〇倍程度と同じような水準です。かつて日本の上場会社の平均PERは五〇倍、という時期もありましたから、今のPER水準に下がったことが、外国投資家にとり日本株投資を積極化させる大きな理由となっているのも納得できます。**PERは、株価算定において伝統的に最もよく用いられる「グローバルスタンダード」な指標だ**といっても過言ではありません。

PERの算定式は、

PER＝株価／一株当り利益

です。別の言い方をすれば、会社の値段（株式時価総額）をその会社の利益で割った倍率です。つまり、

PER＝会社の値段（株式時価総額）／会社の利益

となります。これを変形させると、会社の値段を算定する公式が、

会社の値段＝会社の利益×PER

だということがわかります。

意外にも、金融の専門家といわれている人でも、この公式と先に述べた企業価値の基本公式は同じだ、という素朴な事実を見落としがちです。

どういうことかといいますと、「企業価値」は「会社のキャッシュフロー」を（r－g）で割り算して算定するものですが、これは、「会社のキャッシュフロー」に1／（r－g）

を掛け算することと同じです。

利益とキャッシュフローのどちらを使うかという違いはありますが、**ＰＥＲという倍率は（ｒ－ｇ）という現在価値への割引率の逆数と同じ**なのです。

「企業価値の基本公式は、実際には使えない、なぜならｒとして八％なのか一〇％なのか、ｇが三％なのか五％なのか、どうやって正しく決められるのかわからないから」とぼやいている人が、同時に「この会社の妥当なＰＥＲは二〇倍だ」と言っていたりすると、私は思わず苦笑してしまいます。

二〇倍するということは一／二〇、つまり〇・〇五で割るのと同じです。〇・〇五は五％です。つまりこの人は二〇倍が妥当だといっているのであれば（ｒ－ｇ）＝五％だと実はすでに判断できているのです。

これで企業価値算定公式はさらに簡単になりました。

企業価値＝会社のキャッシュフロー×倍率

です。企業価値にせよ会社の値段にせよ、倍率を正しく算定することが最も重要なカギであることがわかります。

そして倍率は（r－g）から算定するということを今発見したわけですから、

倍率はその会社の将来にわたっての安定性（r）と成長性（g）によって決まる

ということが確認できました。会社の値段が、現在の規模（C）と将来に向けての事業の安定性と成長性で決まる、これは皆さん常識的感覚として納得できると思います。それをシンプルな「公式」、そこから導き出される「倍率」という数字、で表現する。同じことを言うのに、ぼんやりとした情緒的な言葉ではなく具体的な数字に置きなおして話す、これが米国流というかグローバルなビジネス環境下において共通言語で話すときの、ひとつのコツです。

PERというシンプルな指標がグローバルスタンダードな株価算定方式であるという事実も、アナリストやプロの機関投資家がPERを投資価値判定の重要な指標として使っている理由も、これでわかりました。ファイナンス理論の基礎中の基礎、「投資価値は将来キャッシュフローの現在価値である」という原則と、投資実務のスタンダードであるPERという指標は、コインの裏表の関係にあるからです。倍率を語れば、あなたもプロのファンドマネージャーと互角に戦えるようになります。

では、妥当な倍率を、「プロ」はどうやって算定するのでしょう?

†答えは市場から探す

モノの値段のつけかたとして、全く違う観点ながら、やはり「正しい」アプローチがあります。それは皆さんもよく知っている、**モノの値段は需要と供給で決まる、という大原則**です。野菜の値段でも、新築分譲マンションの値段でも、欲しい人がたくさんいて売り物の数が少なければ値段は上がります。どんなにいいモノを作っても、それを欲しいと思う人に巡り合わなければ値段をつけることはできません。自由市場、つまり誰でも売りたいモノをそこに並べることができ、誰でもそこへ行って品定めができお金さえだせば買える場所、これが「正しく」モノの値段を決めるために必要な装置です。

情報技術が発達した今日の社会では、物理的にモノを並べることなく人が集まることもなく市場ができあがるようになりました。ネットオークションはその典型です。「お宝」グッズは、これまで自分にとっての価値しかなく、値段のつけようがなかったものですが、ネットオークションに出品してみたら、日本中・世界中には物好きが結構いて競り合いになり、びっくりするような値段がついて感動した経験をお持ちの読者もいるでしょう。この場合、お宝グッズの「正しい値段」は、ネットオークションという仕組みが世の中にあるかどうかで全く違ったものになります。

会社の値段の場合、その機能を果たしているのが株式市場です。一昔前には、築地の魚市場のように人が群がって大声を出して指サインで売り買いをしていましたが、いまや東京証券取引所はすっかり電子化され、静かに、でも膨大な量の売り買いがさばかれています。ネットトレードにより、自宅にいながら誰とも話さずに株の売り買いができるようになりました。これらは、会社の値段を「正しく」決めるための仕組みが、ますます充実してきたことに他なりません。

市場が電子化されたことは、個人トレーダーが増えたことだけではなく、外国人投資家の活発な市場参加という効果ももたらしています。距離を越え、時差を超えて取引ができる環境に加え、会社の財務データなどの情報が入手しやすくなったことも重要です。こうして株式市場における国境の壁は知らず知らずのうちに低くなり、外国人投資家の参加が増えてきました。このことはそのまま、日本市場における株価形成に彼らの算定手法が影響を及ぼすことにつながります。

さらに最近は、「M&A市場」というのもできあがってきた感があります。証券会社や銀行、コンサルティング会社などが会社の売り物情報を持ち、買いたい会社の情報とのマッチングを活発に行っています。ダイエーやカネボウのように、買収したいという会社やファンドが多数現れて、「入札」というプロセスが採られる例もでてきました。M&Aにおいても、会社の売り買いの市場ができあがり、会社の値段はそこで「正しく」つけられるようになってきたと言うことができます。

理論的に導き出した公式は、その公式を使って価格算定する投資家（主に海外の投資家や日本の機関投資家）の市場参加が増えることにより、現実世界に反映します。グローバルな市場で巨額の資金を運用し、少しでも高いリターンを実現しようとしのぎを削っている機関投資家たちが、倍率をひとつの重要な指標として使っているのであれば、その指標を通じて形成される値段が「正しい」値段となります。**倍率は何倍が正しいのか、の答えは市場に聞くのが一番**です。そして、情報のアンテナをはり分析するちょっとした知識と忍耐があれば、その答えは株式市場から見つけだせるものです。株価や会社の値段算定は難しく騙されやすい世界だと思い込んで、他人のいうことに振り回され言いなりになると、かえって失敗してしまいます。

†株価、企業価値と会社の値段の関係——家電メーカー四社の比較

会社の値段の本、といいながらここまで抽象的な説明ばかりで、ややピンとこない、実際に役に立たない、というイライラ感がつのってきた読者もいると思います。ここからし

ばらく、具体的な会社の実際の数字を使ってさらに会社の値段算定の本質と実際を説明してみましょう。例として、日立製作所、東芝、松下電器産業、ソニーというおなじみの名前をとりあげます。事業内容にそれぞれ違いはありますが、一応「家電メーカー」としてひとくくりにします。各社の基本的な財務データと今期の収益予想値は【表A】の通りです。複雑な財務諸表を読みこなして分析するのはこの本の趣旨ではないので、ここでは『会社四季報』『会社情報』といったハンディな会社情報誌に載っている程度の数字で話をすすめます。

†株価をそのまま比較しても意味はない

ひと昔前、株式には五〇円、五万円という「額面」がつくのが当たり前でした。そのせいか、株価を横並びにして比較することに意味があると考える人がいます。株好きだった私の亡き父もそうでした。しかしながら、**株式の価値は、額面にいくらと書いてあるかとは全く関係がありません。**今日では商法も改正され、株式に額面を書く必要すらなくなりました。

そういう「無額面株式」の株価はどうやって決めるのでしょうか？

会社の値段がまずありきで、それを発行済み株式の総数で割ることによって株価はきま

【表A】家電メーカー4社の株価と基本財務データ

会社名	日立	東芝	松下	ソニー
株価	718円	510円	1949円	3790円
総資産	9.7兆円	4.6兆円	8.1兆円	9.5兆円
売上高	9.3兆円	6兆円	8.7兆円	7.3兆円
当期利益	550億円	500億円	1100億円	▲100億円

株価は2005年10月7日現在、総資産は2005年3月末、売上と利益は2006年3月期の予想

る、これが答えです。

家電メーカー四社の株価を比較すると、松下はソニーの二分の一、日立・東芝の株価はそのさらに三分の一程度となっていますが、このことは、四つの会社の値段の差とは関係がありません。発行済み株式総数がそれぞれに違うからです。

そんな当たり前のことをいまさら、と笑う読者も多いでしょうが、実は株式市場にはそういう基本もわかっていない人が結構多いのではないか、と思わされる例もあります。その話をしはじめると横道に脱線してしまうので次章にゆずり、まずは基本の骨組みの話を進めます。

†株式時価総額＝会社の値段？

というわけで、株価だけを見比べていても意味がないので、それぞれの会社の発行済み株式総数を株価に掛け算して、**株式時価総額**を算出して比較してみましょう（【表

B】)。松下がソニーより高くなり、日立・東芝と両社の差はだいぶ縮まってきました。

通常、「会社の値段」というとこの株式時価総額を指します。日本の事業会社で時価総額が最も大きいのは、トヨタ自動車がダントツで一八兆円、ついで、NTTドコモの九兆円となっています。世界にはもっと高い値段のついている会社がたくさんあります。マイクロソフトは三〇兆円、GEは四二兆円、といった具合です。こうやって比べると、世界市場で堂々と渡り合っている日本の家電メーカーの値段は意外に安く、海外の巨大企業から見るとお買い得なM&A対象に見えてくる気持ちもわかります。

株式時価総額をもって「会社の値段」と定義することは、グローバルな共通言語として通用しています。英語では Market Value(MV)、Market Capitalization、といいます。株主価値の「市場時価」という意味です。会社は株主のものであり、**株主投資家にとっての価値が会社の値段、そして値段を決めるのは市場、という単純明快な話**です。ただし、実際にどうやって株式時価総額と会社の値段を計算するか、は単純なようで考え出すと、きりがなく複雑になるのも事実です。優先株、転換社債、新株予約権(ストックオプション)……。これらと株価、発行済み株式総数の関係は、金融専門家にとっても難解な世界の話になるのでここでは四季報に載っている数字を信用して次に進みましょう。

【表B】家電メーカー4社の株式時価総額（＝株価×発行済株式総数）

会社名	日立	東芝	松下	ソニー
株価(2005.10.7)	718円	510円	1949円	3790円
発行済株式総数	33.7億株	32.2億株	22.6億株*	10.0億株
時価総額（MV）	2.4兆円	1.6兆円	4.4兆円	3.8兆円

＊松下の発行済株式総数は自己株（約2億株）控除後

（参考）
マイクロソフト……2640円（株価）×114億株＝30兆円
GE……………………3640円（株価）×115億株＝42兆円

†株式時価総額（＝株主価値）と企業価値は違う？

金融の世界で「企業価値」という言葉が使われるとき、それは株式時価総額とは違う数字のことを指しているのが通常です。英語では Enterprise Value（EV）という金融業界用語であり、日本語では一般用語として使われる企業価値と区別するためにこれを**「企業総価値」**と訳すこともあります。株主だけでなく、銀行などの債権者にとっての価値も加えて、投資家にとっての会社の値段を表すのがこの企業価値（EV）です。

この企業価値（EV）は、

EV＝株式時価総額＋ネット有利子負債

という公式で計算されます。

有利子負債とは、銀行借入金や社債など、利息を払って元本を返す約束をしている資金です。会社はそうやって調達した資金で工場をたてたり機械設備を購入したりするのですから、その分だけ資産が増えます。であれば、企業価値はその分だけ上がっているということでプラスの調整をするのは当然です。裏を返せば、**企業価値のうちその有利子負債に見合う部分は株主のものではありません**。事業が生み出した利益やキャッシュフローの中から、株主に配分する前に銀行や債権者に返さなければいけない部分ですから、株主価値はその分だけ差し引くのが正しいことになります。

「ネット」（相殺）と頭についているのは、借入金の反対に余剰の現金を会社が持っている場合には、その分借入金を返済する扱いにして「差し引く」必要があることを意味しています。純有利子負債と呼ぶ人もいます。

ネット有利子負債の金額がマイナスになる会社は、いわゆる実質無借金といわれる会社で、伝統的に日本では優良会社の代名詞のようにいわれてきました。しかし、この計算式からわかるように、**実質無借金の会社、余剰現金をたくさん持っている会社の場合、企業価値よりも株式時価総額のほうが高くなります。**

家電メーカー四社の企業価値をこの計算式で算出すると【表C】となります。日立・東芝と松下・ソニーの差はさらに縮まりましたね。これは日立・東芝には借金がたくさんある分、それを調整すると企業価値が大きくなる（株式時価総額が小さくなっていた）からで

【表C】家電メーカー4社の企業価値

会社名	日立	東芝	松下	ソニー
株価（2005.10.7）	718円	510円	1949円	3790円
時価総額（MV）	**2.4兆円**	**1.6兆円**	**4.4兆円**	**3.8兆円**
有利子負債（D）	2.5兆円	1.2兆円	0.9兆円	0.9兆円
現金同等物（C）	0.7兆円	0.3兆円	1.2兆円	0.8兆円
ネット有利子負債（D－C）	1.8兆円	0.9兆円	▲0.3兆円	0.1兆円
企業価値（EV）	**4.2兆円**	**2.5兆円**	**4.1兆円**	**3.9兆円**

す。逆に、松下は現金同等物が一兆二〇〇〇億円もあり、実質無借金会社です。したがって、企業価値は株式時価総額＋マイナスのネット有利子負債、という計算になり、時価総額より小さな値となっています。企業価値で比較すると、日立が松下・ソニーを上回ります。東芝はネット有利子負債が比較的多いので、企業価値ベースにすると差はさらに縮まりました。

ネット有利子負債を算出するための「余剰の現金」とはどの金額なのだろうか、という問題は大変重要です。通常は「現金同等物」として会社が発表している数字を使うので、この表でもそうやって計算しています。しかし、買収ファンドが目をつける会社は、現金同等物以外の保有不動産や有価証券も「余剰資産」としてこれに含めると割安になっている会社、の場合が多いですね。ニッポン放送が保有しているフジテレビやポニーキャニオン株式の値段、TBSの赤坂本社の土地の値段、阪神タイガースを上場した場合の値段、これらをすべて「現金同等物」として加えると、余剰金のたくさんある会社、その割には株価が低い、ということになるわけです。この話は、昨今の株式買い集めブームの核心部分なので、次節以下第七章、八章でもさらに検討します。

株価からスタートして、このような方法で企業価値を算出してみると、家電メーカー四社の企業価値は事業規模などを反映した、それなりに納得感のある数値になってきました。しかし、その値段が高すぎるのか安すぎるのかを判断するには、さらに数字を読み込まなければなりません。

†バランスシートをイメージする

バランスシート（貸借対照表、B／S）は、**損益計算書**（Profit and Loss Statement、P／L）、**キャッシュフロー計算書**（Cash Flow Statement、C／F）とともに、財務諸表の大切なひとつです。会社の値段を算定するベースは、やはりうそ偽りなく作成された、会社の実績を数字で表した財務諸表です。そして、それらはいろいろな会社を横に並べて同じ基準で比べることができるよう、統一の会計ルールに従ったものでなければなりません。

簿記、会計の知識がなければきっちり読みこなすことはできない、とよく言われるために、財務諸表そのものに対する苦手意識をもっている人が多くいます。会社の売上や利益の話をしている損益計算書（P／L）のほうはまだしも、貸借対照表となるとそもそも名前が古臭く敬遠されるものです。実際に読んでみても、「売掛金」とか「引当金」とか意味がわかりにくい科目が並んでいて、どこをどう見ればよいのかわからない、という話でしょう。しかし、会社の値段と企業価値の関係を腹に落として理解するために、バランスシートはとてもわかりやすい形をしています。図を使いながらその本質部分を説明しましょう。

図4　バランスシートのイメージ

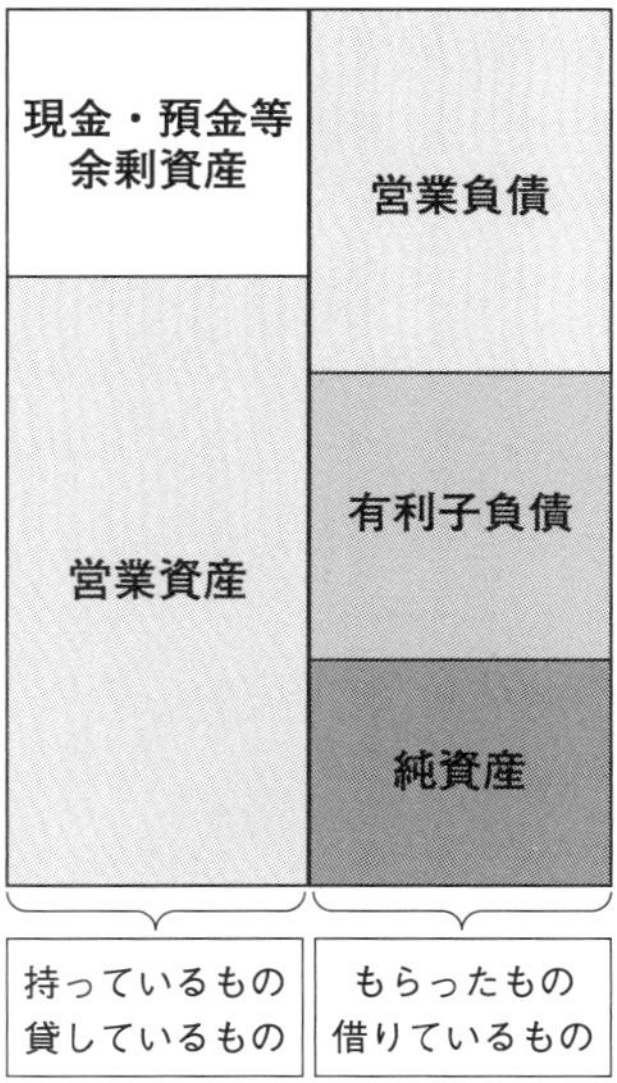

バランスシートはその名のとおり、左側（持っているもの、貸しているもの）と右側（借りたもの、もらったもの）が、ちょうど同じ金額になっていることを表わすのが目的の財務資料です。会社の値段と企業価値の関係を理解するために、これまで出てきた用語を強調

してバランスシートを表現すると前ページの【図4】となります。

ここで**純資産**（Equity）と表現されている部分が、株主の所有している部分です。**株主資本**、**資本勘定**などとも呼ばれ、会社が株式を発行して受け取った金額と、過去の利益の蓄積でまだ株主に配当という形で還元されずに社内に留保している金額の合計です。留保された金は会社の中に現金・預金として貯まっていたり、新たな機械設備の投資資金として使われたりしているので、左側の「余剰資産」や「営業資産」が増える形で「バランス」しているわけです。

†株式時価総額とのれん価値

B／Sにのっている資産は基本的にお金を払って会社が手に入れたものですから、買った時の値段で計上されるのが通常です。それでは不十分なので、持っている資産の価値が買った後で上がったり下がったりした場合にはそれをB／Sに反映しましょう、という考え方がいわゆる**時価会計**の流れです。この場合、実際にお金が出入りするわけではないので、資産側（左側）だけ増やしたり減らしたりするとバランスしなくなります。その部分の調整は、右側では純資産を増やしたり減らしたりして行うことになります。バブル時代に買ったゴルフ場資産の価値が大きく下がっている場合、それを二束三文で売って不良資産処理すれば買った時の値段と売った時の値段の差が**売却損**となって、その分利益が大きなマイナスになり、純資産の中に蓄えられていた留保利益が目減りします。

実際には売らずに時価に評価替えをして価値を帳簿上「減損」させた場合も同じです。実際にはお金は出入りしませんが、P/L上に大きな**評価損**がでて、その分株主が会社に留保している金が減った形でバランスします。不良資産をたくさん持ったままの会社のB/Sは、こうやって時価ベースに評価替えすると純資産がなくなってしまい、**実質債務超過**という状態に陥ります。すると、銀行があわてて貸付金を引き揚げ実際に倒産してしまうのです。

しかし一方で、上場会社であれば株主持分にはちゃんと株価という形の「時価」がついています。株式そのものが時価ベースになっているという意味での時価純資産、これが会社の値段と通常言われているものですが、B/Sに反映すると次ページの【図5】のような形になります。

株価の高い会社、つまり株式時価総額の大きい会社の場合、今度は、B/S右側の時価純資産が大きくなって資産側がバランスしません。会社が持っている資産は全て時価ベースにしたとしても、まだ説明できない部分がでてきます。**これが無形の営業資産、「のれん」といわれるものの正体**です。

図5　時価を反映したバランスシート

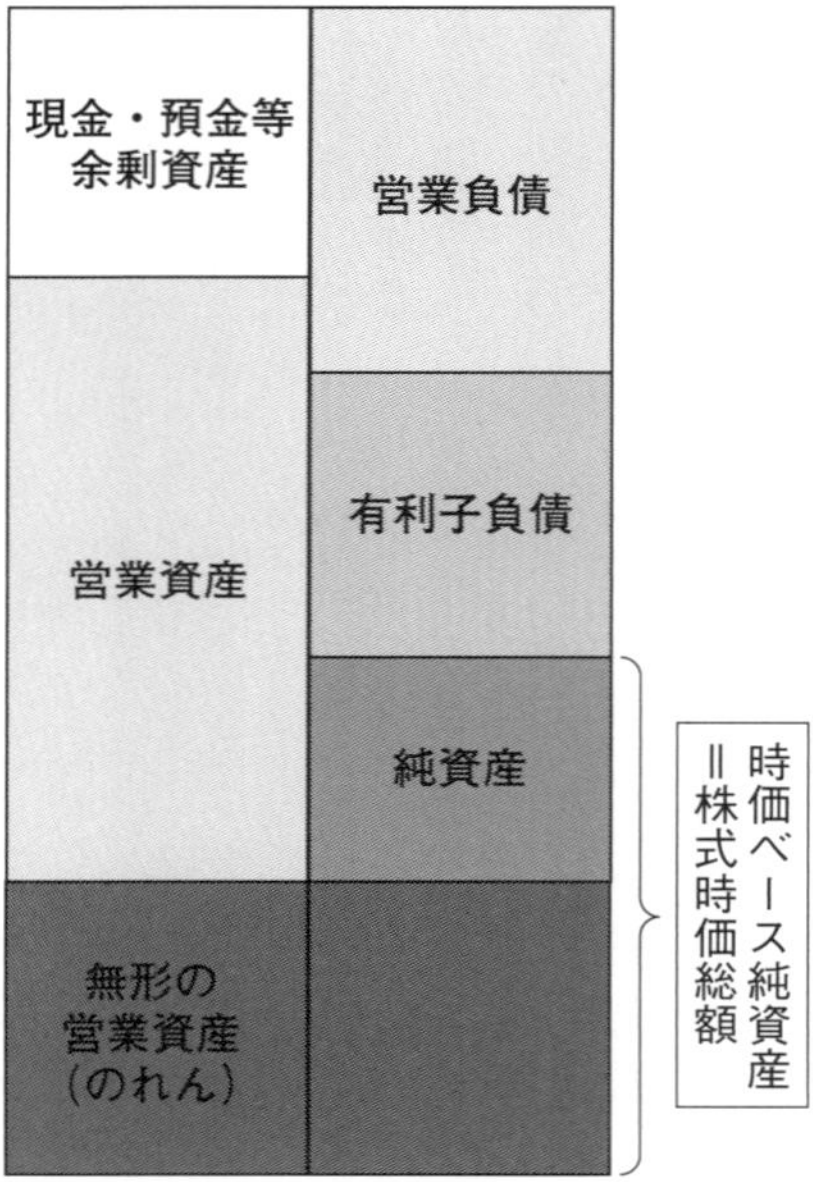

「バランスシートには会社の最も重要な資産である『ヒト』や『ブランド』、『企業文化』が反映されないので意味がない」

とぼやくひとは、この図でB／Sをイメージするとよいでしょう。**株式を上場するということはそれら無形の会社資産に市場価格をつけるという行為だ、**ということがわかります。

それでも納得のいかない会社経営者などは、

「株価や株式時価総額なんてころころ変わるもので、そんな形で『ヒト』や『ブランド』、『企業文化』の価値を決められてはたまったものではない」

というでしょう。しかし、そうであるなら文句を言ってばかりいないで、それら無形の営業資産にいかに価値があるかを市場の投資家にきちんと説明して納得してもらい、無形資産の価値を反映した株価をつけてもらう活動をすべきです。それがＩＲ（Investors Relation、対投資家広報活動）の中心課題です。

†企業価値にはすべてが織り込まれる

これまで話してきた企業価値は、このＢ／Ｓイメージ図の中で表現すると、次ページ【図6】のようになります。

もともとの企業価値の定義を思い出してください。

企業価値＝将来キャッシュフローの現在価値

でしたね。会社がその営業資産と営業負債を使って生み出すキャッシュフローの現在価値は、図のグレーの部分ということになります。この図を読む上でご理解いただきたい大切なポイントは、以下の二点です。

①企業価値は贅肉を落とした裸の価値

会社がたくさんの余剰現金を貯め込んでいる、遊休資産を抱えている場合、これらは有

図6　バランスシートから見る企業価値と株式時価総額の関係

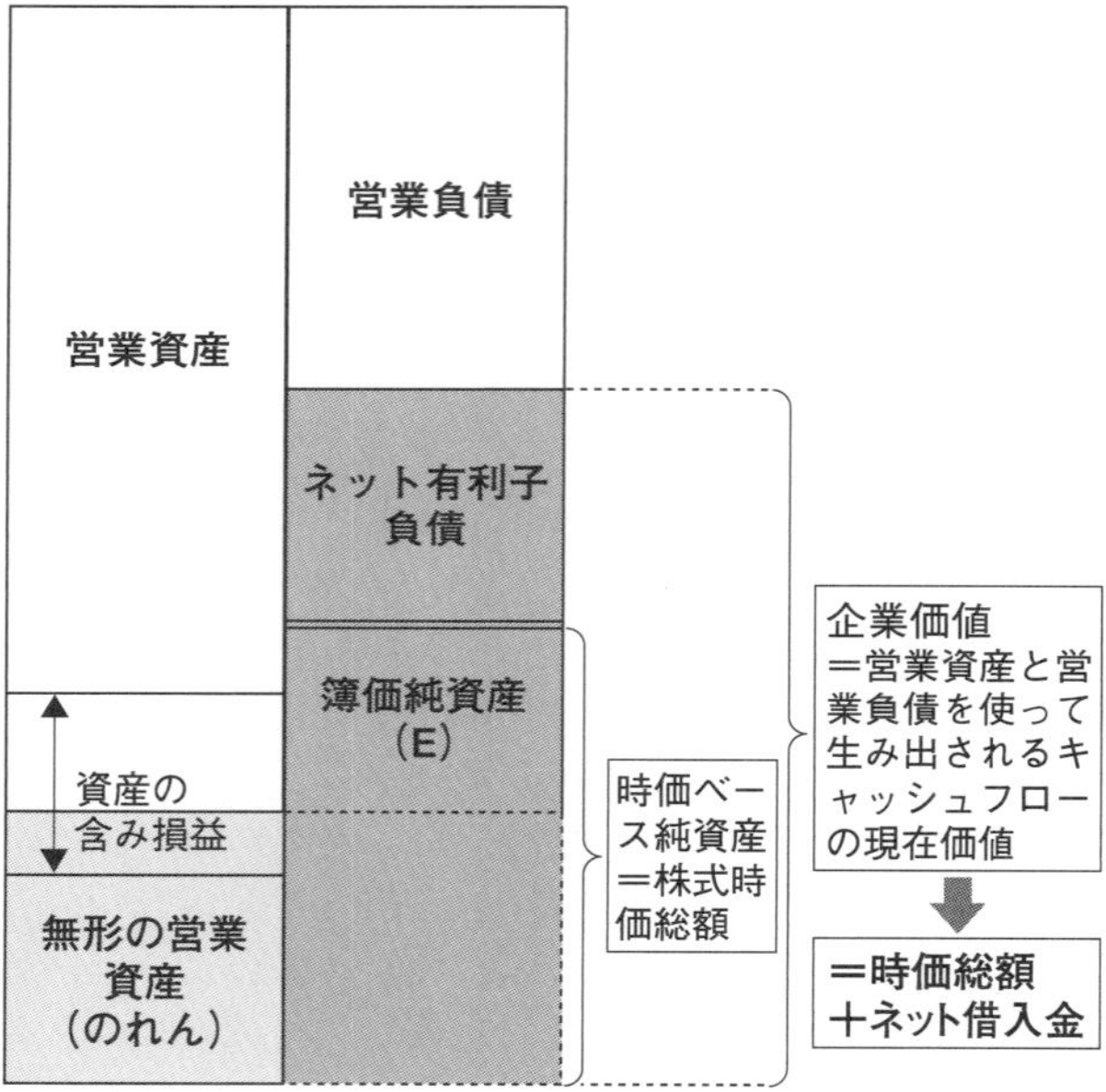

利子負債とネット（相殺）した上で企業価値は算定されます。会社資産のうち、将来キャッシュフローの創出に貢献しないものは、企業価値の構成要因の外になります。それらの余剰資産の価値は、会社の値段を膨らませることには貢献しますが、それによって企業価値が増えることにはなりません。**企業価値算定とは、過去の利益を蓄積して皮下脂肪のように貯め込んだ部分を取り除き、贅肉を全部そぎ落とした筋肉部分の価**

値を算定する作業なのです。

②企業価値にはのれん価値が含まれる

一方で、企業価値は、キャッシュフロー創出に貢献するすべての資産の価値を有形・無形にかかわらず反映して算定する作業でもあります。優秀な人材はなぜ優秀なのかというと、そうでない人よりも事業キャッシュフローを将来にわたって多く生み出すと想定されるからです。ブランドにはなぜ価値があるのかというと、ブランドがついていることによってその会社の製品はより多く、より高い値段で売れるからです。それらのプラスアルファ要因をキャッシュフローの増加分として把握し、それを現在価値に引き直したものが、「人材価値」「ブランド価値」といったのれん価値を形成する。このことを図は表しています。

株式市場でつけられる会社の値段、株式時価総額は、これら「のれん価値」を含んでいます。株価算定の指標としてPERと並んでよく登場する指標に、**PBR（Price-to-Book Ratio、株価純資産倍率）**がありますが、これは、株式時価総額を簿価純資産で割り算した倍率です。バランスシートに載っている資産がすべて時価ベースに評価替えされているとすれば、この倍率は会社の値段の中でのれん価値がどれぐらいの比率を占めているかを示す指標としてとらえることができます。株式時価総額から簿価純資産を引いた値をのれん価値として把握し、家電メーカー四社につきこれまでに算定した数字とともに再度まとめると【表D】となります。ソニーののれん価値は、やはり他より高いとはいえ、かつての「ソニーブランド」の勢いがなくなっていることが数字に表れている、という言い方もできるかもしれません。この算出方法では、日立は意外なほどのれん価値が小さく評価されていることになります。

†キャッシュフロー倍率で比べる

会社の値段を会社の生んでいる利益（＝株主が山分けして構わない税引後当期利益）で割ったPERという倍率指標が、株主価値算定のグローバルスタンダードであるという説明をしました。では、企業価値の場合は、どの数字で割り算したどんな倍率で比較するべきでしょうか？　企業価値算定の基本公式以来ずっと使ってきた「キャッシュフロー」で割るべきだ、というのが答えです。

利益で割ることは間違いだということではありません。株主が配当として受け取ることができる原資は税引後当期利益ですから、むしろ利益で割るのが正しい、という考え方もあります。しかし、税引後当期利益はその会社の実力、贅肉を削ぎ落とした裸の力を測る数字としては、やや不安定で不純物がまぎれこみやすい、という難点があります。

【表D】家電メーカー4社の企業価値比較（まとめ）

財務データ

会社名	日立	東芝	松下	ソニー
総資産	9.7兆円	4.6兆円	8.1兆円	9.5兆円
純資産（株主資本）	2.3兆円	0.8兆円	3.5兆円	2.9兆円
売上高	9.3兆円	6兆円	8.7兆円	7.3兆円
当期利益	550億円	500億円	1100億円	▲100億円

市場評価

会社名	日立	東芝	松下	ソニー
株価（2005.10.7）	718円	510円	1949円	3790円
時価総額（MV）	**2.4兆円**	**1.6兆円**	**4.4兆円**	**3.8兆円**
ネット有利子負債	1.8兆円	0.9兆円	▲0.3兆円	0.1兆円
企業価値（EV）	**4.2兆円**	**2.5兆円**	**4.1兆円**	**3.9兆円**
無形営業資産、のれん*	0.1兆円	0.8兆円	0.8兆円	0.9兆円
PBR**	1.0倍	2.0倍	1.2倍	1.3倍

*　無形営業資産、のれん＝株式時価総額－純資産

**　PBR＝株式時価総額÷純資産

第一に、税引後当期利益には余剰資産の運用益や売却益など、本業からの収益力以外の力によって生み出される利益が混ざってしまうことがあげられます。ひと昔前までは、毎年の利益を安定的に見せるために、土地や株式の「ふくみ益」を使って決算調整をすることが日常茶飯事でした。近年はむしろ逆に、リストラや事業再編による損失を前倒しで一括費用計上するケースがよく目につきます。

ソニーは二〇〇五年度に一

四〇〇億円もの「構造改革費用」を計上する予定なので、今期の予想利益は赤字です。この数字をつかってPERを計算しても意味をなしません。

第二に、税引後当期利益は評価損益や引当金計上のような、実際には金の出入りがない会計上の損益を反映してしまうという問題があります。さらに、退職年金債務の計上のしかた、のように会計方針が変わると一時的に大きな損益が発生してしまうこともあります。この場合、損益計算書上は大きな赤字となる場合がありますが、実際に会社からお金がいっぺんに出ていっての巨額赤字ではないので、キャッシュフロー上はなんの影響もありません。

このように、「利益」というのは会社の真の力を示す数字として使うには、いろいろな調整作業が必要になるものです。そこで、「キャッシュフロー」のほうが会社の真の力を測るのにふさわしい、という考え方が生まれます。

†EBITDAというスタンダード指標

とはいうものの、一口にキャッシュフローといってもこれまたさまざまな定義のものがあります。営業活動から生み出されるキャッシュの数値としての**営業キャッシュフロー**、そこから事業の維持に必要な設備投資分のキャッシュを差し引いた残りとしての**フリーキ**

キャッシュフロー、等々です。

それぞれの計算方法や分析の仕方については、それだけで一冊の本が書けるほど奥の深いものです。が、企業価値算定、他社との比較という目的のために一般投資家が詳細を知る必要はありません。ここでは、機関投資家や証券アナリスト、投資銀行といったプロの間でも簡易な指標としてPERと並びよく使われるようになってきている、**EBITDA**という指標を紹介します。

EBITDAとは、**Earnings Before Interest, Taxes, Depreciation & Amortization**の頭文字をとったもので「イビットダー」「イービットディーエー」と呼ばれています。**金利支払い前、税引前、償却前の利益という定義**ですが、簡単に算出するには、損益計算書の「営業利益」にキャッシュフロー計算書にでている「減価償却、営業権償却」を足し戻せばよいのです。四季報にも営業利益と減価償却の数字は載っていますので、これを足したものをここではEBITDAとして使います。

営業利益とは、まさに事業の本業から生み出している利益です。本業以外の**営業外収支**や一時的な理由で出てしまう**特別損益**が入っていないという点で、企業価値の源泉となっている利益に対応します（二〇〇五年度のソニーのように、事業再編に伴う構造改革費用一四〇〇億円を営業費用として処理している場合は、この影響を除いたほうが比較しやすいので、本書ではその調整を行ってEBITDAを計算しています)。

償却費は、過去に支払ってしまった設備購入代金や企業買収代金などを数年に分割して費用に計上する会計上の項目です。つまり、償却費は実際にはその年にキャッシュとして社外に出ていない金額です。これを足し戻すことによって、その会社が本業としている事業から毎年どれぐらいのキャッシュを創出しているか、を測る指標として使うことができます。

†EV/EBITDA倍率は経営者の通知表

投資家として会社の評価を行うにあたり、余剰の金を取り除いた裸の企業価値があり、その価値を創り出す原動力としての事業そのもののキャッシュ創出力指標としてEBITDAが使いやすいことがわかりました。それらを使うことにより**企業価値は、「今その会社が創出しているキャッシュフロー(EBITDA)の何倍か」という形で算定できます。**どの倍率を使うかはそれぞれの会社の持っているEBITDAの安定性(r)と成長性(g)で決まってくることは基本公式が示すとおりです。

そこで、家電メーカー四社のキャッシュフローに対する企業価値の倍率(EV/EBITDA倍率)を算出してPERと比べてみましょう。ここで「今の利益やキャッシュフロ

【表E】家電メーカー4社の倍率比較

（表示なし単位は：億円、倍）

	会社名	日立		東芝		松下		ソニー	
市場評価／財務データ	時価総額(MV)	2.4兆円		1.6兆円		4.4兆円		3.8兆円	
	企業価値(EV)	4.2兆円		2.5兆円		4.1兆円		3.9兆円	
	純資産(株主資本)	2.3兆円		0.8兆円		3.5兆円		2.9兆円	
		前期	今期	前期	今期	前期	今期	前期	今期
	売上高	90,270	92,500	58,361	60,000	87,136	87,200	71,596	72,500
	営業利益（EBIT）	2,791	3,000	1,548	1,600	3,085	3,300	1,139	1,200*
	減価償却費	3,138	3,300	2,414	2,860	2,874	2,800	3,728	3,900
	償却前営業利益（EBITDA）	5,929	6,300	3,962	4,460	5,959	6,100	4,867	5,100
	税引後当期利益	515	550	460	500	585	1,100	1,638	▲100

		日立		東芝		松下		ソニー	
倍率	PBR	1.0		2.0		1.2		1.3	
		対前期	対当期	対前期	対当期	対前期	対当期	対前期	対当期
	PER	47.0	44.0	35.7	32.8	74.9	39.8	23.1	N.A.
	EV/EBITDA倍率	7.1	6.7	6.4	5.7	6.8	6.7	8.0	7.7

前期・対前期は実績、今期・対当期は予想

＊ソニーの今期予想は2005年9月22日発表資料より。営業利益とEBITDAは構造改革費用は除外したベースで算出。

ー」としていつの数字を使うべきかが問題になりますが、直前の実績数字として会計監査を受けている前年度決算の数字と、四季報に載っている今期の予想数字の両方を並べてみます（【表E】）。

家電メーカー四社のEV／EBITDA倍率は六～七倍台あたりで安定しています。PERに比べても、横に並べて比較しやすいことがよくわかります。

この倍率は、それぞれの会社のもっている安定性と成長性の特長を表現しているものと考えられますから、なぜその差が出てくるのかを分析してみる姿勢が投資家として大切です。ソニーの倍率が高いのは、やはりゲームや映画コンテンツなど、将来の成長性の高い事業を持っているからだろうか、ソニーという名前に、投資家はまた新商品や分野を開拓してゆく革新的な企業イメージをもっているのだろうか、それとも単に今年は社長交代や事業再編でゴタゴタしているのでＥＢＩＴＤＡが小さめになっているというだけのことだろうか……。日立と松下はどちらも大きな会社で将来の安定性が高いが、大化け成長は期待できないということなのだろうか、東芝はやはり他の三社より規模が小さい分、将来の成長性期待も若干低めになるのだろうか……といった具合にです。

こうして考えてゆくと、**ＥＶ／ＥＢＩＴＤＡ倍率は、その会社の経営者のビジョンや戦略とその実行力に対する信頼と期待度を数値化したもの、これまでの実績に対する通知表であり、今後についての期待をこめた投資家の支持率の指標**となりうることがわかります。

†「客観的に正しい企業価値」はあるのか

企業価値を算定するための実践的ツールとしては、私はここに述べたもので十分だと考えています。ここから先はそれぞれの会社の財務諸表や将来見通し、経営者のビジョンとリーダーシップ、実行力といった要素を個々に分析して、同業他社などと比較しながら倍率が高すぎる、低すぎる、を判断してゆけばよいのです。

「それでは相対評価にしかならないし、刻々と変わる株式市場の価格形成にふりまわされてしまう。もっと絶対的な企業価値算定はできないの？」

という不満の声をよく聞きます。が、それは無理ですし意味がない、というのが実務をやってきた私の実感です。市場で形成されている価値算定から全く離れた世界で理論的に企業価値を算定してみても、その値段でだれも会社や株式を売り買いする気にならないのでは仕方ありません。「適正な倍率」といっても、所詮は将来の安定性と成長性という、誰にも正解を見通せないものを数値化しているわけですから、主観的な判断が入ったもの、時々刻々と変化するもの、にならざるを得ません。**客観的な真実など会社の値段については存在しない、**と考えたほうが現実的です。

だからといって私は、市場でついている価格をそのまま鵜呑みにせよ、と言っているわけではありません。同業他社や収益構造の似ている他業界の会社があって、それらの倍率とあなたが目をつけている会社の倍率がかけ離れていたとすれば、そこに株式投資によって儲けるチャンスが生まれます。同業他社とおなじ水準の倍率で評価されているけれど、この会社には他とは違う強さや経営力がある、とあなたが判断すれば、その会社は「適正価格より安い水準にある↓買い」ということになります。あなたのその見方が正しければ、いずれ市場が遅れてそのことに気づき、株価があがってくるでしょう。あなたの先見性の勝ちです。これこそが株式投資の醍醐味です。

株式投資で儲ける方法については、株価チャートの分析など、いろいろ指南書がでています。しかし、独自技術や経営戦略、経営者のビジョンに共感し応援する気持ちで会社の株式を買い、そのとおり会社がブレイクし成長する姿を目にし、その会社の成功に自分も参画した気分になり実際に投資利益を得る、これに勝る快感はありません。そういう投資の積み重ねが日本の経営者を淘汰し、志と実行力のある経営者が日本の経済・社会をよりよい方向に変革してゆくのです。

その意味では、判断材料はたしかに市場にころがっていますが、投資家はそれに基づき主観的な判断を行い、その行動がまた新たな判断材料を市場に提供する、それが市場における「真実」の姿です。この動きの連続こそが、市場の持つ「ダイナミズム」であり活力の源なのです。**もともと正しい答えなどない、それは投資家が自己責任で作りあげるべきものだ、**と割り切る姿勢が大切です。

第六章

ニュースを読み解く
投資家の視点

†正しい市場評価の前提

投資価値算定の基本公式から始まって、倍率という形で経営を評価する、EV/EBITDA倍率で裸の企業価値やのれん価値を市場から見つけ出す、という形で企業価値算定の「背骨」にあたる考え方を説明してきました。経済やビジネスに関するさまざまなニュースがどういう意味を持っていて、なぜ重要なのかを理解するカギが少し見えてくるようになったのではないかと思います。

本章では、これまでの解説のおさらいと応用を兼ねて、株式市場やM&Aの世界で起こっている素朴な疑問事例をいくつかとりあげ、それらを投資価値算定の基本ツールをもとに検討してみましょう。投資家としてそれらの事例を見る目が養われると、おかしなことがまかり通っていることにも気づくようになります。そして、多くの投資家がそれに気づいて行動することによって、おかしなことはまかり通らなくなります。そういう行動の積み重ねによって、誰でも安心して参加できる自由でフェアな市場はできあがってゆきます。

どんなに正確に会社の値段を算定しようとしても、客観的に正しい企業価値を算定することはそもそも困難です。その理由は「将来どうなるか」と「投資家がどういう利回りを期待するか」という二つが企業価値を決める要因だからです。それならば、いろいろな

「主観」をもった投資家が自由に参加する市場で買いと売りとが均衡する点として会社の値段を決めればいい、これが自由市場主義の考え方です。

では、この株式市場が会社の値段を正しく評価できるためには何が必要でしょうか？

それは、

①正確でタイムリーに情報が皆に公平に行き渡ること

②ブームや勢いに振り回されない投資家層の厚みがあること

の二つでしょう。

†情報開示の重要性

情報開示、英語では**ディスクロージャー**（disclosure）、この意識は過去二〇年ほどの間に日本でとても高まりました。政治家や金持ちのところにだけ「耳よりな株の儲け話」が入ってきて、一般大衆はカスをつかむのが株の世界だ、というイメージはいまだにあり、それはある程度事実として仕方がないものですが、それでもずいぶんよくなったと思います。リクルート事件をきっかけに政治家と株の関係にメスがはいり、証券会社の損失補塡問題で大手証券会社の社長の首が飛び、内部情報をもとに株取引をすると逮捕されたり利益を会社に返還したりしなければならないという「インサイダー取引規制」も効果をあげています。コクド・西武グループの破綻、堤義明会長失墜のきっかけは、上場会社である西武鉄道の、有価証券報告書という情報開示資料における名義偽装でした。

「そんなことは長年誰でもやってることだし、別に人を騙して金を巻き上げているわけじゃなし」

と、それほどの罪悪感を持たないのが、一昔前の経営者の常識的感覚でしょう。しかし、西武鉄道の株価がそれによって非常に操作しやすい底の浅い状況に置かれていたという意味で、彼は会社の値段を市場で適正に形成するための大切なルールを破ったことになります。

カネボウの粉飾決算事件では、会社幹部に続き監査法人の担当者までが逮捕されました。企業価値＝足元の利益（キャッシュフロー）×倍率、という基本公式からわかるとおり、足元の利益が会社の実態を反映していないのでは、会社の値段がまともに算定できるはずもありません。その正確性を保証する立場にある公認会計士が粉飾決算に加担していたとしたら、それは資本主義の根幹をゆるがす重大事件なのです。

資本主義、自由市場主義の本家本元である米国でも同じような事件は起こっています。

エンロン、ワールドコムという急成長会社が巨額の不正決算を行っていたことが発覚して倒産したこの事件により株式市場は信頼を失い、ニューヨーク証券取引所の平均株価は下がり、したがって会社の値段も下がりました。

「米国は日本に対して『情報開示をもっとすすめろ』と言うが、他人に偉そうに言う前に自分の国のことをちゃんとしろ」

と、米国嫌いの人は鬼の首をとったかのように言います。しかし、重要なのはこれらの事件に対して国がどのような措置が取ったか、です。日本から言われるまでもなく、エンロン・ワールドコム事件は、米国資本主義の信頼を損なう大事件として米国の政界、財界を揺るがせました。関係者は徹底的に処罰され、それによりアーサーアンダーセンという世界のビッグ・ファイブ会計事務所のひとつが消滅してしまいました。企業統治・会計監査改革の法案がすばやく議会を通り、一部やりすぎではないかと思われるほど、経営者や監査法人に対して厳しい義務を課すようになりました。

会社の値段をきちんと判断でき、自由に安心して取引ができる市場を作ることが、米国経済の発展を支える重要事項だという認識を、与党の共和党も野党の民主党も全く違わず持っているからこそこのような改革が素早く行われた。事件の核心はむしろここにある、と私は思います。どんな世界にも邪悪な金儲けをもくろむ人はいます。どんなにルールや制度を整備しても、そういう人間を世の中からなくすことはできません。これは、日本でも米国でも中国でもドイツでも同じでしょう。**大切なのは、そういう事件によって正直な善人が被害を受けたとき、国としてどういう姿勢で対処するかです。**日本が、西武やカネボウの事件を個別処理して終わりにしてしまうのか、それともより徹底した制度改革につなげるのか、を日本の投資家は注視しなければなりません。

†投資家層の厚み

市場での値づけを常に「適正」にするのは実際には難しいものです。「勢い」や「ムード」があり、振り子のように行ったり来たりを繰り返すのが市場の常です。しかし、多様なたくさんの参加者が底の厚い投資家層を形成することにより、株価は操作しにくく乱高下しにくいものにすることができます。日本の株式市場は、まだまだその意味で底が浅く、合理的とは言い難い価格をつけがちなのでは、と思われる話として、発行済み株式数が会社の値段を歪める二つの例を取り上げましょう。

まずは、**株式分割で会社の値段が上がる不思議**です。株券という単なる紙切れが何百万円という価値を持ち、その価格が日々刻々変化する、株式というのは不思議なものです。それだけに、お年よりなどの素人を騙して金を巻き上げる手段として悪用されがちです。

第五章（130ページ）では、株価は、まず会社の値段ありきで、それを発行済み株式総数で割って計算されるべきもの、と説明しました。そんなのは当たり前の常識だ、と笑いながら読み飛ばした読者もいるかもしれません。しかし、実際に株式市場でそのことをわかって株の売り買いをしているのだろうか、と疑いたくなる出来事がときどき起こります。

そのひとつが**株式分割**です。なぜだかよくわかりませんが、会社が株式分割を発表すると、それは会社が成長していて将来が明るいことのメッセージとしてとらえられる風潮があるようです。株式分割と呼ばずに**無償増資**という場合もあります。ある会社が業績好調なので、と一〇株当たり一株の新株を全ての既存の株主に「無償」であげたとします。一〇〇〇株を持っている私のもとに、ある日突然一〇〇株がプレゼントされるわけですから、なんとなく得をしたような気になります。無償増資が行われても株価があまり変わらないことはよくありますから、現実に得をしていることになります。同様のことが一株を一〇株に分割する場合にも起こります。

しかし、**一株を一〇株に株式分割したからといって、会社はそのまま何も変わらない、したがって会社の値段は変わりません**。株価は会社の値段がまずありきで、それを発行済み株式総数で割って決まるのが常識だとすると、株の総数が一〇倍に増えた分、株価は自動的に一〇分の一になるはずです。ところが、実際の株式市場では、株式分割の効力が発生しても株価が一〇分の一にならない、なるまで結構時間がかかる、下がってもまた元の値段に戻る、という出来事がよく起こります。

理屈上は、株式分割直後に以前のままの株価に引きずられてこの株を買った人は、ほぼ確実に損をするはずです。株価は元の値段の一〇分の一の「適正価格」に収斂《しゅうれん》するはず、安くなったと喜んでうっかり買ってしまう人がたくさんいるとは思えないのですが、実際にはそのような株価形成がなされます。株式分割や無償増資を会社価値の上昇ととらえるのは錯覚にすぎないはずですが、過去にたしかに上昇するケースが多かったからというだけの理由で、「そういうものだ」という常識が市場にできあがってしまったのでしょうか。私には正直よくわかりません。

次に**株式持ち合いの水増し効果**です。戦後日本の伝統的な商習慣である株式持ち合いが、会社の値段を歪めるものだ、といわれてもピンとこない投資家も多くいるでしょう。上場類似会社を参考にして会社の値段を算定するにあたり、持ち合い株式がたくさんある上場会社は頭痛のタネとなります。

株式の持ち合いとは、一言でいうとお金を使わずに株式を取得する方法です。私の会社が総株数の二〇%にあたる新株を一〇〇億円で発行して、それをあなたの会社が全部引き受ける（発行された株式を一〇〇億円で全部買う）、それと同時にあなたの会社も一〇〇億円増資して私がそれを全部引き受ける。こうすればあなたの会社は私の会社の二〇％株主になりますが、資金の一〇〇億円は私とあなたの間を行って帰ってくるだけなので、結局払っていないのと同じです。

会社の値段＝株式時価総額＝発行済み株式総数×株価

という公式も「当たり前」と思う読者が多いと思いますが、この例での発行済み株式総数には、二〇％の持ち合い株式分を含めてよいのでしょうか？

これは計算上除くべきではないかと思います。たしかに、私の会社のバランスシートの資産側にはあなたの会社の株式一〇〇億円が計上されているのですから、その株式に一〇〇億円の価値があるとしたら、それも私の会社の値段に含めるのが当然だとも考えられます。しかし、あなたが二〇％の株式を市場で売却して一〇〇億円の現金を手にすることができ、同時に私も同じことをできるとしたら、その合計二〇〇億円の現金は一体どこから出てきたのでしょう？　それはもちろん、市場でその株を私やあなたから買った人からですね。一般の投資家は皆自腹で身銭をリスクにさらして株を買うのに、私とあなたの会社は事実上一銭も使わずに株を手にいれ、それを市場に売って一〇〇億円を手にするというのはおかしな話です。それがおかしいと分かっていれば、市場の投資家は持ち合い株が放出されても、これまでと同じ高い値段では買うわけにいかないはずです。

このように**持ち合い株式は、株式時価総額を底上げしてしまう効果を持っています**。単純に今の株価（＝持ち合い株は塩漬けで市場に出てこないことを前提に形成された株価）に持ち合い株式を含めた総株式数を掛け算して会社の値段を計算すると、高く算定しすぎる危険があるのです。

†転換社債や新株予約権

発行済み株式総数の数え方が簡単なようで実は難しい話として、**転換社債**にも簡単に触れておきましょう。

村上ファンドが阪神電鉄株式買い集めの方法として利用したことから、世間の注目を集めている**転換社債とは、一言でいえば借金と出資金の「ハイブリッド（混合種）」**です。会社の側から見た場合、利息を支払い元本を満期に返さなければならない借入れ（社債）として発行するのですが、それを買った投資家は、一定の株価で株式に転換でき、満期に元本を現金で返してもらう代わりに株式を受け取ることを選べる仕組みになっています。そういう仕組みにしておくと、株価が将来上がれば会社は借金を返さなくて済みます。その代わり、社債の持ち主が株主に変わるのです。八〇年代バブルの時期には、転換社債発行がとてもはやりました。それは、株価が右肩上がりの勢いを持っているときには投資家に人気があるので、利息をほとんど支払わない好条件で転換社債が発行でき、さらに将来はすべて株式に転換されるだろうから元本も返さなくていい、一見「コストゼロの資金調達方法」だったからです。

例えば、今、株価が三〇〇円の会社があり、四〇〇円という株価で株式に転換できる転換社債一〇〇億円をあなたが持っているとしましょう。全部株式に転換すると一〇〇億円÷四〇〇円＝二五〇〇万株もらえます。社債を持っている間に株価が五〇〇円に上がったとします。それでも四〇〇円で転換できるのですから、二五〇〇万株全てを株式に転換してすぐに市場に出して五〇〇円で売れれば、一二五億円の現金をあなたは手にすることができ、二五億円儲かります。株価が三〇〇円のままだった場合は、一〇〇億円の社債のまま持っておいて満期に返してもらえば損はしませんし、利息ももらえます。

このような転換社債を発行している会社の場合、発行済み株式総数には転換したら増加する分を加えるべきでしょうか？　通常は社債（有利子負債）として扱われます。しかし、転換価格と行使条件と今の株価次第では株式と同じように扱う、つまり発行済み株式総数を増やして計算したほうがよい場合もあります。

阪神電鉄の発行していた転換社債は、株式への転換価格が五〇五円に設定されていました。当時の阪神電鉄の株価は四〇〇円程度でしたから、転換されることはないと会社側は考えていました。その転換社債を村上ファンドは株式と一緒に買い集めました。村上ファンドがどんどん株式を買うので阪神電鉄の株価は上がり、七〇〇円になりました。それでも転換社債は五〇五円で株式に転換できるのですから、村上ファンドはよろこんで転換しました。その結果、三八%という大株主に短期間でなることができたのです。

新株予約権、ストックオプション、ワラント、呼び名はいろいろありますがこれらも原理は同じです。社債の部分がなく、一定の時期に一定の価格で株を買うことのできる権利だけを切り離したものと考えればよいでしょう。このような**「将来一定の条件でできる、でも、したくなければしなくてよい」権利をオプションといいます。**オプションの価値算定は、現在価値と並ぶファイナンス理論の重要部分で、企業価値算定においても活躍する機会が増えているのですが、「金融工学」という、複雑な数式を使う世界の話なのでこの本では深入りは避けます。

とにかく、会社の値段の算定にあたり、転換社債、新株予約権付社債、ストックオプション、すべてどういう条件で株式になるのかに応じて、発行済み株式総数を変化させねばならない、このことを覚えておいてください。

†買収資金は誰のカネ？

ライブドアがニッポン放送株式を買い集めた際、その資金は米国の投資銀行リーマンブラザーズが提供しました。リーマンブラザーズは銀行と同じように単純に八〇〇億円を貸したわけではありません。転換社債、それも相当のことがない限り損をしない仕組みになっている転換社債、をライブドアが発行し、それを引き受けた（買った）のです。

どういう仕組みかというと、この転換社債は**転換価格修正条項付き**になっていて、毎週、転換価格がその週の株式終値の九〇％に変更されます。ライブドアの株価が下がっても、さらにそれより一〇％割安な条件で株式に転換できる、したがって、毎週少しずつ株式に転換してはすぐに市場で売ることを繰り返せば大損はしにくい、むしろ一〇％程度の利益をあげることができそうな仕組みです。

では、この資金調達、いったい誰が実際にリスクを負っているのでしょう？　一〇〇〇億円もの金を投入してニッポン放送株を買い占めた挙句、その投資が塩漬けとなって利益を生まなくなったら、回収不能になったとしたら、困るのは誰でしょうか？

答えはライブドアの株主です。堀江社長の目論見どおりこの話が進まない場合、ライブドアの株価は下がります。リーマンブラザーズが提供した八〇〇億円はライブドアの株式に転換されて市場に売り出される仕組みですから、その株式を市場で買った人が最終的に八〇〇億円を提供した人だということになります。のみならず、いままでに株式市場でライブドアの株を買ってまだ持っている人たち全てが、この資金調達に参加しています。なぜでしょうか？　株価が下がれば損をするのはすべての株主だからです。ライブドアの株を昔から持っている人、新たに買った人、皆が支払った株の代金が今回の投資に使われ、その合計が八〇〇億円、一〇〇〇億円になる。ライブドアが今回資金を調達した方法は、煎じ詰めるとこのような仕組みとなっているのです。

もちろん、すべてがうまく行けばライブドアの株価はぐんと上がりますので、その場合は皆がハッピーになります。二〇〇五年二月にライブドアがニッポン放送の株式取得を発表する前には、ライブドアの株価は四五〇円でした。発表後に株価は三〇〇円台に急落し、三五〇円あたりをしばらくうろついていました。ライブドアは六億株の株式を発行していますから、一株あたり一〇〇円下がったとすると合計六〇〇億円ですね。これはニッポン放送株式取得という投資が、六〇〇億円の損になって株主ひとりひとりに跳ね返ってくる、こういう計算になります。

直近の財務資料によると、ライブドアの発行済み株式総数は一〇億株に増えています。リーマンブラザーズが転換した株式と、フジテレビが業務提携により引き受けた株式が、合計四億株になったということです。株価はまた四五〇円あたりに復活していますから、時価総額は四五〇〇億円、今年はじめより二〇〇〇億円もライブドアの会社の値段はあがったことになります。実際にリーマンブラザーズとフジテレビがライブドアに払い込んだ金額は、八〇〇億円＋四四〇億円で一二四〇億円、ということは、残り七六〇億円の価値増加はフジテレビとの争いをうまく業務提携に落ち着かせたことに対する評価、ということになります。ライブドアの元々の株主にとっては、やっともとの値段に戻った程度ですからあまり嬉しくないかもしれませんが、比較的安い株価で株式に転換して市場売却により鞘を稼いだリーマンブラザーズも、株価三〇〇円台の頃にリーマンブラザーズが売り出した株を市場で買った投資家も、今のところハッピーです。

†ベンチャー起業家は本当に稼いでいるのか？

ライブドア堀江社長の話がでたので、彼の本にもある「稼ぐが勝ち」について次に考えてみましょう。堀江社長に代表される成功したベンチャー起業家は、皆大金持ちです。それも一〇〇億円単位の桁違いの金持ちです。しかし、これは彼が稼いだ金か、というとそれは難しいところです。

「稼ぐ」という言葉は誤解を生みやすい言葉です。堀江社長が大金持ちである理由は、ライブドアの創業者大株主としての株資産の評価額が数百億円あるからです。何か大きな買い物をしたいときは、その株を売って現金を得ればよいわけですし、その株を担保にして銀行から金を借りることはいくらでもできます。自分が創業した会社の株を売って得た金なのだから、それも「自分で儲けた」金だ、といえそうです。が、本当にそうなのか、もう少し考えてみる必要があります。

自分で自由に使えるお金がすべて自分の金だというわけではありません。他人から借りた金や預かった金も、当座は自分の好きなように使えます。好きな女性の歓心を買うためにたくさんの貢物をしてサラ金地獄に陥ってしまう男はどこにでもいますし、職場の金を流用して何億円も南米の女性に送金し逮捕されてしまった公務員もいました。

自分の会社の株を売って得た金を会社財産の流用と同じように扱ってはいけませんが、株を売った後も経営者を続ける場合はかなり微妙なところがあるとも言えます。なぜでしょう？　これは、会社の値段と経営者の役割を考える上での重要な問題提起です。

自分の資金一〇〇〇万円、一株五万円で二〇〇株、を発行して作った会社が成功し、上場したところ一株一〇〇万円という値段がついた。そこでとりあえず一〇％にあたる二〇株を株式市場で売ったとしましょう。二〇〇〇万円が手に入ります。もともとは五万円の株ですから原価は一〇〇万円、差し引き一九〇〇万円が「儲かった」。よくあるベンチャー起業家の成功物語ですね。なぜ儲かったかというと、その会社の一〇%にあたる株式を二〇〇〇万円で買いたい、という投資家が現れたからです。この投資家は、なぜその値段を会社につけたのでしょう？　その会社が大成功し、これから先もどんどん大きくなって利益を生み、株価がますます上がる、と判断したからだと考えるのが普通です。つまり、その投資家がつけた一株一〇〇万円という値段は、会社が将来あげるであろう利益で回収しておつりがくる、とその投資家が判断した値段なのです。

では、その利益を将来にわたってあげる責任者は誰でしょうか？　それは、会社の創業者であり社長である自分ですね。一九〇〇万円儲かった、と喜んで、ハワイにリゾートマンションを買って優雅に遊ぶヒマなどありません。将来の利益をこの投資家の期待に沿うようあげるため、いままでにも増してがんばって働かなければいけなくなるのです。

株式をいくらで買うかは買う投資家の勝手で、高い値段がついたからといって社長がその価格より下がらないことを保証する必要はありません。最悪、会社の業績が悪化し、株が紙くずになったとしても、社長がその株主の損失を補塡する義務もありません。しかしながら、自分が社長をやっている会社の株を、自分自身が市場で誰かに高く売って多くの利益を上げた場合、社長としては、その株主が期待する投資リターンを実現するよう全力を尽くす義務が生まれます。高く売れれば売れるほど、社長として会社の業績を将来にわたって急成長させる責任は重くなります。

創業経営者が自社の株を一般投資家に高く売るという行為は、将来の利益を先取りする、先に金をもらって仕事は後でするという約束する行為と同じです。このようにして手に入れた金は、「儲けた」のか「投資家から預かった」のか、微妙な面があるのは理解いただけたでしょうか。会社の経営責任を負っている立場の人が、自社株を売って何億円か手にいれ、その金を南米の女性に貢いだとしましょう。仕事そっちのけで豪華な生活を楽しんでいる間に会社が倒産して株を買った投資家が大損したとしたら、この経営者は逮捕されて大ニュースになった公金横領の公務員と同じぐらい罪深い、といえるのではないでしょうか。

†財務優良会社がなぜ狙われる？

阪神電鉄の株式買い集めと阪神タイガース上場提案、ニッポン放送を巡る争いでも注目を浴びた村上ファンドは、他にもいろいろな会社の株式に投資しています。過去の事例では、昭栄、東京スタイルをはじめ、多くは実質無借金の財務的に優良な会社でした。昨年にソトー、ユシロ化学の筆頭株主となり**TOB（株式公開買付）**をしかけたスティール・パートナーズという投資ファンドも、投資対象として目をつけたのは、同じように財務体質優良で利益もきちんと出している会社です。なぜ、このような会社が狙われるのでしょうか？　彼らはそういう会社の大株主になると、「もっと配当しろ」「自社株買いをして株価をあげろ」と主張します。この主張は妥当なものなのでしょうか？

これらのファンドがやっていることは、非常に単純明快です。割安な株式を見つけて買って高くなったら売る、株式投資の基本そのものです。ポイントは「割安」をどう判断するかなのですが、狙いやすいのはバランスシートに過去の利益の蓄積を余剰資産として持っている、いわゆる「キャッシュリッチ」な会社です。スティール・パートナーズが二〇〇二年中に株式を買い集め二〇〇三年暮れにＴＯＢをしかけた、東証二部上場のソトーという毛織染物会社を例にとって、キャッシュリッチで割安な会社とはどういう会社で、狙われて何が起こったのかを理解しておきましょう。

まずは、スティール・パートナーズが株式を買い進んだ二〇〇三年三月期の損益計算書を見ると、売上が一〇〇億円弱、営業利益が一〇億円弱、税引き後当期利益が四・八億円という、よくある堅実な収益力の会社です。過去からそれほど変化もなく、成長性はそれほどでもないが安定した収益体質の会社です。当時の株価が六〇〇～七〇〇〇円でしたので、真ん中をとって六五〇〇円とし、発行済み株式総数を掛けると、株式時価総額が一〇〇億円となります。これを税引き後当期利益の四・八億円で割ると、ＰＥＲが二〇倍強、ごく標準的な倍率で、狙われるべきおかしなところはなにもないように見えます。

ところが、バランスシートを見てみると、ソトーの資産・負債・資本の構成がかなり特長的なのがわかります。第五章（137ページ）と同じような簡略B／Sでイメージ化してみると【図7】のような形になります。

無借金ですので、ネット有利子負債がマイナスです。会社が財務諸表上で公表している「現金同等物」は、現金と預金に三ヶ月以内の短期投資有価証券のみを加えた二七億円なのですが、それ以外にも「有価証券」として国債や投資信託を持っており、さらには固定資産として計上されている「投資有価証券」、これは取引先などの株式・社債なのでしょうが、残高が一九〇億円と驚くほどたくさんあります。これはどこから調達してきた資金で取得しているのかとB／S右側を見ると、純資産である資本の部が二四〇億円、総資産の七六％にのぼります。実際に株主から調達した資本金額は、そのうちの六〇億円足らず、残りは長年の利益を蓄積した「利益剰余金」です。総資産三一五億円の会社ですが、事業に直接関係ある営業資産は八五億円ほどしかありません。

会社というのは毎年金の卵を産むガチョウだ、という喩えでこれまで企業価値計算のイメージをつかんできましたが、**この会社は、産んだ金の卵をそのまま体中にぶらさげて一見すると金の塊のように見えるガチョウです**。羊毛で丸々太って見える羊のように、体中にぶらさがっている金を刈り取ってしまいたくなるのが株主の心情なのは、容易に想像できますね。

このようなガチョウですから、高い値段がついて当然です。ところが、株式時価総額一〇〇億円というのは利益、つまり将来に産み続ける卵のみに着目しているかのような値段のつきかたです。これはどう見ても「お買い得」、ということでスティール・パートナーズが目をつけ、市場に売りが出るたびにせっせと株式を買い集めたわけです。九％ほどの持ち株比率まで買ったところで、大株主として経営陣に過去の利益を株主に還元するよう提案しますが、経営陣はなかなか動きません。

そこで、スティール・パートナーズはＴＯＢをかけました。当時、一〇〇〇円を切っていた株価に対してプレミアムをのせて一一五〇円で買いますので売ってください、と新聞公告を出して直接株主に募集をかける、これが**ＴＯＢ（株式公開買付）**というやりかたです。

図7　ソトーのバランスシート

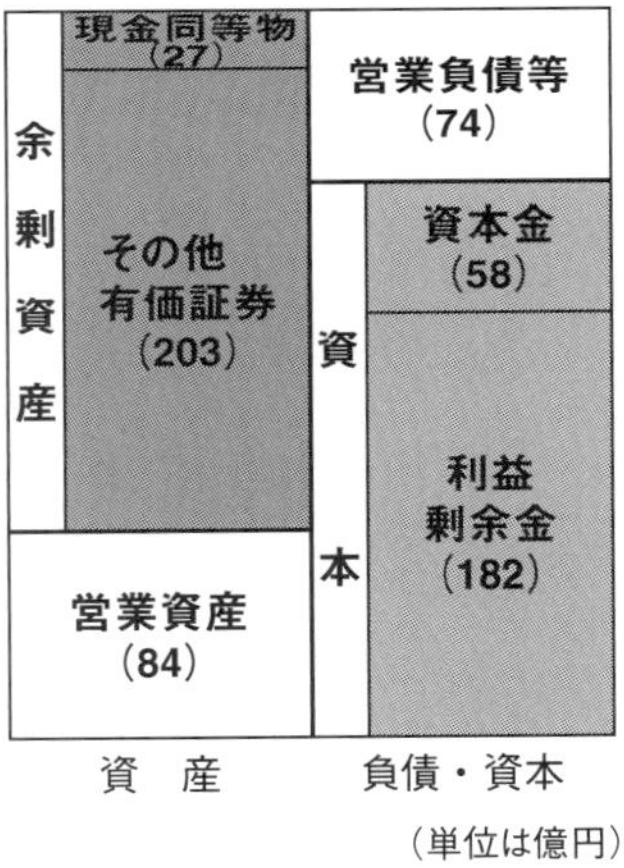

ここまできてやっと経営者も市場も、株価が会社の実態を反映しないまま放置しておくとわけのわからぬ輩《やから》に会社を強引に乗

っ取られることに気づきました。経営陣は、大和証券グループに、友好的な対抗TOBを一二五〇円でかけてもらいます。スティール・パートナーズは、負けじと一四〇〇円、一五五〇円、とセリ市のまぐろのようにどんどんTOB価格はあがってゆきました。当然市場も、ソトーという会社の値段はいくらが適正なのか、と算定をはじめます。意地の張り合いで適正価格を突き抜ける高値がつくかもしれない、という投機家も参加して株価上昇に勢いがつきます。

その結果、TOB価格の一五五〇円を越え、一時は二〇〇〇円近くまで株価は上昇しました。時価総額にして三〇〇億円ですが、二三〇億円の余剰資産をソトーは持っているわけですから、企業価値としては七〇億円程度、EV／EBITDA倍率五倍以下、決しておかしな値段ではありません。実際に、会社側は余剰資産を株主に還元することを決め、一株あたり五〇〇円相当の利益配当を行うと発表しました。

TOB価格よりも市場価格が高くなってしまったので、スティール・パートナーズはTOBで株を買い集めることはできなくなりました。しかし、彼らは配当で利益を得、さらに自分たちが適正価格と考える以上に高くなった株価で自分の持ち株を売却し、大儲けしました。

本書で説明した基本的な企業価値、会社の値段の算定手法を理解し、B／SとP／Lをちょっと気をつけて見れば、ソトーという会社の株価が異常に低いレベルであることは簡単にわかります。無借金で自己資本が厚く余剰の金融資産をたくさん持っている会社は、長年「優良企業」と褒められていましたが、米国では昔からそういう会社は敵対的企業買収の格好の標的でした。ソトーの事例を見る限り、ハゲタカファンドにとって日本はまだまだ格好の餌食のいる市場だと言われてもしかたありません。

†投資ファンドばかりが儲ける世の中でいいのか？

株式分割の例にせよ、ソトーの例にせよ、ここまで読み進められた皆さんにとっては、「なぜその安い値段のままで放置されていたの？　なぜ株主はそのまま持っていればよいものをその値段で売ってしまったの？」という素朴な疑問が相変わらず残るでしょう。株式分割によって半分になるはずの株価がそのまま下がらずにいたり、利益を出している会社の値段が過去の蓄積として持っている余剰金融資産の値段より安いままで放置されているのは、なぜでしょうか？　それは、会社の値段を本書のようには算定せずに株を売ったり買ったりする投資家が市場にいるからです。

ソトーの場合、スティール・パートナーズは、二年近くの間「適正」株価より低い値段

で株式を一〇%以上市場で買い集めることができました。その間に六〇〇〇円、七〇〇〇円でソトー株式を手放した株主の多くは、

「自分は一〇年前に四〇〇〇円で買った株だから、七〇〇〇円でも十分儲かったので構わない」

というタイプの、慎み深い投資家なのでしょう。株や投資でガツガツ儲けることをあまり上品ではないと考える日本人は多くいます。額に汗してモノ作りをしたりお客さまの満足のゆくサービスを提供したりしてお金は稼ぐものだ、という感覚がしみついている良き日本人にとっては、株で濡れ手に粟の利益を得ることは邪道に見えます。

とはいうものの、七〇〇〇円で自分が売った株式に、その後ほどなく一五〇〇〇円を超える株価がつくのをみて、こんなに高く買ってくれる人がいるとわかっていたら売らずに持っていたのに、と残念がっている「元ソトー株主」がたくさんいるはずです。自分が慎ましやかな利益で満足しているすぐ横で、どこから来たのかわからないような人たちが大儲けしている姿を見ると、

「少なくともハゲタカファンドの人たちに大儲けさせるために自分は七〇〇〇円で売ったつもりはない」

と思うでしょう。

しかし、「割り切れなさ」で済ませていてはいけません。ハゲタカファンドを追い出せと怒るのも筋違いです。それは自分で蒔《ま》いた種なのだ、二度とおバカな安値で株を売るのは止めよう、と反省する姿勢が必要です。いくら投資で金儲けすることにはあまり興味がないといっても、わざわざ他人を儲けさせることはありません。

このことは上場会社の経営者にもあてはまります。**経営者は会社の値段を適正に反映した株価が市場でちゃんとつくように情報発信し、説明する努力を惜しんではいけません。**それは経営者の株主に対する責務です。そうしなければ、お人好しで善良な株主が手にするべき利益を、わけのわからない人がかすめとってゆき、挙句の果てには会社の支配権を握られて自分の首が飛んでしまうのですから。

ソトーやユシロ化学、そして東京スタイルやニッポン放送にまつわる騒動を通じて、「株価を安値に放置していると大変な目にあう」と多くの経営者は実感しました。同時に多くの株式投資家は、

「自分もハゲタカファンドのように、安値で放置している会社の株を上手に見つけ出して大儲けしたい」

という思いを強くしていることでしょう。そのこと自体は嘆き悲しむべきことではありません。なぜなら、インターネットで情報が簡単に手に入り、ネットトレードで気軽に株

を売り買いできる時代です。目ざとい投資家層はどんどん厚くなってきます。そうすると会社の値段、単純にいうと株価は、適正水準まで上がってくるはずです。ファンドにとって濡れ手に粟のもうけ話はどんどん減ってくる、それがあるべき株式市場の姿だからです。**一部の目ざとい投資家やファンドだけがいつまでも一方的に儲け続ける、という市場は何かが間違っています。**

こう説明してもまだ、「会社の値段さえきちんとついていれば全て解決」というわけにはいかないのではないか、というわだかまりをぬぐいきれない人もいるはずです。おそらくそれは、

「会社が長年にわたって蓄積してきた富はすべて株主のもの、で果たしていいのか」という疑問からくるものでしょう。**その素朴な疑問は、鋭く本質をついています。**蓄積してきた富は不労所得者である株主ではなく、その利益を上げるのに貢献した社員や下請け取引先のものであるはずだ。この発想は多くの日本人の価値観に合います。この点は、日本的な資本主義は米国的な資本主義と同じなのかちがうのか、という大きな問題にかかわっているので、まずはM&Aにおける会社の値段の話をした後で、最終章でもう少し考えてみることにしましょう。

第七章

M&Aの本質

一般の会社に投資する株主の立場での企業価値算定、評価についてのこれまでの説明は、基本的に会社を丸ごと売り買いするM&Aにも同様にあてはまります。本書の最初に、「株式公開もM&Aも、会社を売るという意味で本質的に違いはない」と言ったとおりです。株式公開は世間的に格好よく、会社売却は格好悪い、という世の中の「常識」は根強いのですが、株式公開した後で株価がじり貧になることは会社売却以上に格好悪いことです。格好悪いだけはすまされず、多くの投資家の期待を裏切り損をさせたということで、株主投資家からの非難囂々、経営者は針のむしろ状態になります。

会社の値段も企業価値も、倍率という形で高すぎるか安すぎるかの分析ができます。その倍率はいわば経営者の通知表だ、という説明をしましたが、これこそがまさに、M&Aという会社の売り買い活動が起こる理由なのです。本章では、M&Aはなぜ世の中にとってよいことなのか、M&Aにおいてはこれまでの会社の値段のつけかたとどこが同じでどこが違うのか、について解説します。

同業他社に比べて低い倍率に放置されている会社は、通常「買い」のチャンスです。しかし、その会社の倍率が低い理由が「経営者がお粗末だから」だとしたらどうすればよいでしょうか？　経営陣を交代させればよいのですね。野球やサッカーの監督と同じです。株式会社のよいところは、経営者を密室で誰かが決めるのではなく、株主が株主総会という正式な投票手続きで決められる点です。これが、村上ファンドの村上氏が、「阪神タイガースを上場したほうが、ファンが株主になれて球団が本当の意味でファンのものになっていいじゃないか」

と言っている根拠でもあり、そんなことをしたら監督がファン投票で決まってしまいかえっておかしなことになる、という球団側の心配の理由となっています。

実際に経営者を替えるには、自分たちの推薦する役員を候補者に立て、他の株主たちにも賛同を呼びかけて株主総会で多数決を取る必要があります。株主総会には皆出席するわけではありません。委任状を提出して、通常なら代表取締役に役員選任の投票をお任せします。この委任状を代表取締役ではなく自分にください、と株主に対して呼びかけて、現経営陣と取り合いをする、これを**委任状争奪戦（Proxy Fight、プロキシーファイト）**といいます。経営支配を巡る争いの原型です。

しかし、自分の持っている株数が少ないのに、他の多くの株主に呼びかけて委任状を集めるのは費用もかかるし大変骨の折れる作業です。それなら金を払って株式そのものを買い取ってしまえ、という発想が湧いてきます。株価が安いときに買い集めて、できれば過半数の株式を取得してしまえば、通常株主総会で自由に役員を決められるようになります。こうなるとM&Aです。

M&Aとは、経営支配権を売買する活動です。その原動力となるのは、「自分が経営したほうが、企業価値、株主価値を高められる」という自信です。**経営者としての力量を競い合う活動、これがM&Aの本質**です。

†一〇〇%買収があるべき姿

最も経営に自信のある人は、会社の一〇〇%を買収します。そのためにプレミアム価格をつけることを厭《いと》いません。五一%ではなく一〇〇%を買収するには、当然二倍近い資金が必要ですし、それだけ買収後の経営に失敗したときの痛手も大きくなります。五一%で会社の支配権が実質手に入るのならばそのほうが安くすんでいい、という考えをする人もいますが、これは中途半端な考え方です。自分が経営することにより企業価値をあげてみせる自信があるのなら、支配権を取って汗をかいて会社全体の企業価値をあげておきながら、その五一%分だけのリターンだけしか手にできないのはもったいない話です。四九%の残りの株主は何もしないで彼に経営を任せるだけで、五一%株主と同じリターンを享受できる、いわゆる「ただ乗り」を許してしまうわけです。

あなたがある会社の株主だとして、そこに素晴らしい実績と経験のある経営者が買収を提案してきたら、どうしたいでしょうか？　私ならその人に経営はお任せして、企業価値を上げてもらい、そのまま四九％株主で居続けたいと思うでしょう。

そこで、経営に自信のある買収者は、一〇〇％会社を自分のものにして企業価値の上昇部分を自分で全て享受するために、買い取り価格に通常価格より高いプレミアム（上乗せ金額）をつけます。すると、がめつい投資家である私は例の現在価値の計算をします。つまり、今すぐ確実にもらえるプレミアムと、将来の不確実な株価上昇の現在価値とを天秤にかけるのです。がめつい割に臆病な私は、目先のプレミアムに飛びつきますが、自らの経営手腕に自信のある買収者は、そのプレミアムを支払ってでも一〇〇％を買収して経営を完全に支配し、自らの力で価値を生み出し、全てのリターンを得られる方を選びます。かくしてＭ＆Ａの取引成立です。買収者も売り手である私もハッピーです。

このＭ＆Ａ事例、もしも私のがめつさが度を越して自分では経営できないくせに高いプレミアムを要求したらどうなるでしょうか？　優れた経営者である買収者は適正なリターンを自分が得られないと冷静に判断し、取引は破談になります。私がプレミアムを取り損ねるのは自業自得ですが、会社がよりよい経営者の下で企業価値を高める機会を、私は目先の利益を求める強欲さ故に奪ってしまうことになります。これは皆にとって不幸な結末です。

売り手も買い手もハッピーになる、いわゆるWin-Winの取引を作ることができる、これがM&Aの理想の姿です。両者にとり納得のいく価格を算定する、これがM&Aにおける「会社の値段」のつけ方です。**M&Aにおける企業価値算定は、支配権の移動をともなうがゆえに一般投資家にとっての価値算定と異なる、**これが最大のポイントです。

†支配権価格に「相場」はあるのか？

支配欲は人間誰しも持っています。会社を興して社長になろうという野心あふれる経営者の場合、特にそれが強いものです。このことが、M&Aにおける値段のつけかたを大きく歪めがちです。どうしても欲しいからといって高い値段を出したくなる衝動を抑えるのも、M&Aアドバイザーの大切な役割です。

M&Aアドバイザーというのは、M&Aを成立させることが「成功」であり、たくさんの手数料がもらえる稼業ですから、高い値段を正当化させる誘惑がどうしても湧きます。反対に買収提案をうけた会社の側のアドバイザーになった場合は、どれほどのプレミアムがあれば買収を受け入れるべきかの判断を助けるのが仕事です。高く売れば売るほど手数料がたくさんもらえますが、「ボロを出さないよう化粧して、売ってしまえば後は野となれ山となれ」というスタンスでがめつい交渉をすると、せっかく会社の将来にとっていいM&Aも交渉決裂、日の目を見ないことになってしまいます。支配権に適正な値段をつける作業というのは、M&Aがあるべき姿に向かって健全に発展し、世の中をより元気で公正にするための重要な仕事です。

†オーナーのわがままは構わない？

現実のM&Aの世界では、企業価値算定の公式など関係なく、法外な値段で会社を買ったり、逆にずいぶん安い値段で気前よく会社を手放してしまったりするケースがたくさんあるものです。有名な画家の絵に何十億円も支払うのに、「将来キャッシュフローの現在価値」などお構いなしの世界なのと同様です。投資目的ではなくただ単に、「ハワイにホテルを持っているとうれしいから」「野球やサッカーが好きだから」という理由で不動産やプロ野球団・サッカークラブを買収する例は、海外ではしょっちゅうありますし日本でも最近盛んです。これは悪いことか、というとそうではありません。

自分の金で自分の好きなことをやる、これは当たり前のことです。ブランド品やレアものグッズにびっくりするような値段を払うのは、悪いことでもなんでもありません。所有欲、支配欲は人それぞれですから、法律やルールを破らない限り何にいくら払っても文句をいわれる筋合いはありません。

会社の買収を同じ感覚でやりたがるオーナー、自営業者は世の中にたくさんいます。自分のカネで自分の欲しいものを手に入れる、それがカネで手に入るならいくらでも払う。こういう買収者にとっては、私がこの本で説明している世界は関係ありません。投資をして金銭的リターンを得るという発想なしに会社を買収するケースですから、いわば、この本の「想定外」です。この人は金の卵を産むガチョウを産み出す金の量より高い値段で買うタイプ、なぜならその人にとっては金の量よりもガチョウの顔が可愛いことの方が大切で、可愛いものを手にいれるのにカネに糸目をつけない人なのだ、と喩えるとわかりやすいでしょう。せっかく金の卵を産むガチョウなのに「卵はいらないから可愛いままでいてくれ」と去勢されてしまったとしたら、それは社会にとりもったいないことですが、その人にとってカネより大事なものがある、その価値観は自分の金で法を犯さず行うかぎり、尊重されてしかるべきです。

会社を売る場合も同様です。オーナーが一〇〇%自分で持っている会社を、適正価格よりずいぶん安く売ってしまうケースもよくあります。歳をとり経営にも疲れ息子は跡を継ぎたがらず、かといって社員を路頭に迷わせるわけにはいかない。自分は一億円もあれば余生を楽しく過ごせるので、会社の面倒をしっかり見てくれる人でさえあれば、それ以上金のことはうるさく言わない……。

これも他人がとやかくいうべき判断ではありません。強いて言うならば、このケースの問題点は、法外に安く会社を買ったのが投資ファンドで、そのファンドはそのまま会社を別の金持ちに倍の値段で転売して大儲けしたとしてもそれでいいのか、でしょう。オーナーが長年かけて築いた会社の価値の大半を実際に金にして儲けるのが、仲介業者のファンドだとしたら、オーナーとしても複雑な思いがするでしょう。たしかにファンドは買った会社をきれいに整理整頓してお化粧もほどこし、オーナー自身が持っているネットワークでは見つけることのできなかったような買い手を見つけてきて、「適正な」値段で売るのだから、付加価値を生んではいます。

しかし、やはり本来はオーナーが自分で創造した会社価値分は自分が手にすべき、少なくとも「会社の値段のつけかたなんてオレにはわからんし興味もない」といって相手の言い値で売ってしまうのは残念な気がします。価値を生み出した人が相応に金持ちになり、その人がそのカネを次にどう使ってより豊かな社会をつくるかを考える。これが資本主義を正しく機能させ、世の中をフェアで元気にするための大前提です。会社の価値を作ったのがオーナーだけの力ではなく、社員や取引先のおかげ、だから売却後もよろしく、というのであれば、オーナーがしっかり適正価格でファンドに売って、そのお金を社員や取引先と皆で分け合い、いったん清算するという手もあるでしょう。オーナーとはそれを自分の意思で自由に配分できる存在なのですから。

†経営者のわがままは許されない？

オーナーが自分の金を好きなように使うのはその人の勝手ですが、会社を一〇〇％は所有していないオーナー「経営者」が会社の金を好きなように使ってM&Aをやるのは、それとは決定的に違います。会社の社長がその場合使うのは、実際には自分以外の出資者から集めた金であり銀行から借り入れた金です。この場合は、「自分が好きだから」「自分が筆頭株主で会社の支配権を持っているから」という理由で好き勝手な値段で会社の買収をしてはいけません。会社の経営者としてM&Aを行うのであれば、自分の会社の投資家や債権者（銀行）にきちんと説明責任を果たして、適正な値段で行う義務が生まれます。

ダイエーにせよコクド・西武グループにせよ、オーナー型企業では、どうしてもその強烈なオーナー経営者の「支配欲」が前面に出て活発な企業買収、高い値段でのM&Aに流される傾向があります。次々に経営破綻の問題に直面したこの二社がプロ野球団を保有していた（している）という事実には、なるほどと思わされます。

野球団とJリーグのサッカークラブのオーナーになり、TBSに経営統合を提案した楽天の三木谷社長もそんな「支配欲の強いオーナー型経営者の典型」として、見る人の目に映っているでしょう。

しかし、彼はそういう旧来型オーナーとはちょっとちがう面があるように私には見えます。彼はJリーグのヴィッセル神戸は個人の会社で、つまり自分の手金でやっています。楽天野球団は、楽天という上場会社としてやっています。ヴィッセル神戸は自分の出身地である神戸のサッカーチームが財政難で困っているから頼まれて支援に乗り出したもの、それに対して、野球は楽天のブランド認知度向上などさまざまなビジネス上のメリットを勘案しての「戦略的投資」、ということで金の出所をきっちり区別しています。「三木谷は金持ちなんだから、弱いチームにもっと金をつぎ込んでいい選手を取って来い！」と野次る野球ファンもいるでしょうが、彼は「球団経営はビジネスとしてやる」と言い切っています。投資採算のとれない計画は認めないのでしょうし、現場の監督が期待に応える結果を出せないと改善策を要求します。野球が自分の趣味で息抜きだから、ライバルのソフトバンクをやっつけたいから、という理由で感情的にのめり込んでそこに上場会社である楽天の資金をつぎ込まないとしたら、それは「上場会社の経営者」らしい識見だと思います。

やや話がそれてしまいましたが、会社の支配権としていくら上乗せの金額を払うのが適正なのか、というテーマは、会社の経営者が投資家の資金を使ってM&Aをやる場合に避けては通れない問題です。その答えは、「M&Aをやったほうが会社の企業価値が全体として高まり株主によりよいリターンをもたらすから」でなければなりません。

†なぜM&Aが企業価値を生むのか

支配権をとるために通常より高い値段を払っても構わない理由は、自分の金で好きなものを買うという場合は例外として、M&Aによって新たな企業価値が生み出されるからだということが分かってきました。一方、現実の世界では、M&Aは成功より失敗のほうが多いと言われています。M&Aが失敗する理由はいくつもありますが、煎じ詰めると、「生み出されるはずだと思っていた新たな価値が生まれず、逆に当初想定していなかった問題が起こってコストがかかり、結果的に高い金額を払いすぎて元がとれなかった」ということになるはずです。

いいM&Aを行うためには当初の企画、つまりなぜその会社を買収したいのかの理由がはっきり説明でき、それが自分の会社の株主にとって利益になることをできるだけ具体的に数字にして示せること、が肝心です。「世界市場におけるシェアのトップ10にはいるため」「売り上げ規模一兆円という目標達成のため」という理由を誇らしげに挙げる経営者がいます。「世間に名の通った会社を買収すると、新聞で大きく取り上げられて有名になるから」という本音の動機でM&Aをやっているのではないか、と疑いたくなるような派手な露出を好む経営者もいます。これだけではM&Aを正当化する理由にはなりません。1＋1＝2のような形で大きくなり、売上を伸ばしてもそれだけでは株主にとってのメリットはありません。売上規模を大きくするために株主や銀行の資金を使っていて、その投資リターンがどう上がるのかが説明されていないからです。世の中で「失敗」といわれているM&Aをよく見てみると、このような曖昧な目的のまま、ずるずると交渉にはいり、社長のひと声で買収が決まり、結構多額の支配権プレミアムを支払っている、というパターンが多いことに気づきます。

新たな価値を生むM&Aを企画する上でのキーワードは、**「シナジー（相乗効果）」**と**「時間を買う」**の二つが決まり文句となっています。これはわかりやすく言い換えると、

シナジー＝合体したほうが生産性、効率性があがる
時間を買う＝自力でやるより早くて確実

ということになります。

M&Aがシナジーにより企業価値を増やす根拠は水平統合と垂直統合の二つのパターンが典型です。

水平統合：これは同業他社を買収、合併するケースです。銀行業界、製紙業界などで国内同士での合併は長年にわたり行われてきました。市場のグローバル化が進んでいる自動車業界などでは国をまたいでの水平統合が頻繁に起こっています。

このようなM&Aでどのような「シナジー」が水平統合を正当化させるのかを突き詰めてゆくと、**コストの合理化**が動機となっているケースが多いことに気づきます。二社を合体することにより本社機能がひとつでよくなる、システム投資もひとつにまとめて効率化できる、開発コストをかけた新製品をより大きなグローバル市場で展開できるようになります。これらはスケールメリット（規模の利益）の追求というM&A正当化理由ですが、はっきり言えばこれは社員のリストラ、営業所の統廃合という痛みを通常伴います。むしろ、その痛みがなければ弱いもの同士が合併によってひとつになっても意味がない、といって過言ではありません。

垂直統合：これは、自分の会社の川下・川上にある他社を取り込むというM&A動機です。

自社製品の販売力を強めるために販売代理店を傘下に収める、原材料や部品を供給してくれる業者を買収しよう、といった形のM&Aが典型です。自社にない新しい技術を持った会社を買収するケースもこれにあたりますし、昨今はやりの通信・ネット企業がコンテンツ制作会社を買収する動機もこれに近いものがあります。しかし、このM&Aはそのままでは買収対象会社の企業価値を通常下げてしまいます。販売先が競合他社製品の取り扱いをやめて自社製品に集中させる、自社以外に部品を供給させない、という「囲い込み」によって売上は減少しますし、取引先の手足を縛ることは社会にとってプラスにはなりません。

垂直統合型のM&Aにおいては、技術・開発段階から最終ユーザー、消費者に至るプロセスを継ぎ目なくスムーズにすることによって生み出されるスピードや効率性向上が、他社との取引をやめることのデメリットを上回ってはじめてこのM&Aは正当化されます。

具体的には、商品開発段階で外部に企業秘密が漏れるのを心配しなくてすむようになる、いつまでにどれだけの商品を生産して在庫をどこにどういう形で持っておくのがよいかの効率化が進めやすい、というメリットです。それは、情報の共有がすすむというのみならず、一体となることによって利害を共有することになる点が重要です。別会社であれば、それぞれの会社の売上や利益を最大化したくなるために相互コミュニケーションがぎくしやくし、内部での交渉や調整にエネルギーが奪われてしまいます。これを運命共同体として一本化することによって、いかに顧客にとっての価値を高め競合にサービス面の差をつけることができるか？　これがM&Aという戦略をとるべきか否かの判断ポイントとなります。

「選択と集中」が叫ばれている当世、垂直統合はむしろ逆方向がはやっている面もあります。つまり、製品の設計・開発とマーケティングだけに集中して、生産は外部委託、販売も代理店業者任せ、としたほうが効率がよいと考え、自社の工場や営業所を売却してしまおうという発想です。日産は、ゴーン社長の会社再建案のなかでバンテックという物流会社などを切り離しました。この戦略は垂直統合の裏返し、事業売却による効率化というM&A事例です。一体の会社・グループであっても、それぞれが独立採算で内部の交渉・調整は面倒であり、そのくせ独自の開発やグループ以外への販売の自由は縛られている、という状況であれば垂直統合には意味がない、であれば独立させてしてしまえと親会社が事業売却をすることが正しい選択となります。

多角化・新規事業展開：M&A活動が最近活発化している背景には、過去の延長線上の成長の行き詰まり、という昨今の厳しい事業環境を感じ取ることができます。コアとなる本業ビジネスは成熟し、グローバルな市場でしのぎを削っています。中国、韓国をはじめとする国々の会社は、日本企業に追いつけ追い越せ、とコスト競争力の高い戦いをしかけてきます。それと同時に、インターネット、デジタル化という新たな技術の登場とそれに伴う電子商取引やコンテンツ産業の発達に見られるように、市場そのものもめまぐるしいスピードで変化しています。

このような経営環境においては、成長戦略についても大胆なリスクテイク、スピードある意思決定と実行が勝敗を分ける決め手となってきました。M&Aは「時間を買う」というキーワードに表れるとおり、行き詰まり感が強い昨今の経営者にとり、多角化・新規事業展開戦略の切り札としてあてにされやすい手法です。

縦軸にいまの事業の商品(品揃え)、横軸にいまの事業の顧客をとって、どの方向に事業を拡大して面積を広げるかを考えてみましょう(次ページ【図8】)。典型的な多角化M&Aは、この事業の成長方向性マトリクスの右上部方向への進出として表現することができます。伝統的なマーケティングの常識として、「新しい客に新しい商品を売ろうとする戦略はうまくいかない」と言われています。多角化のM&Aは、あえてその領域に踏み出すことによって会社の事業領域を縦軸と横軸の両方に同時に拡げ、企業の飛躍を追求する手法、と位置づけることができます。その領域ですでに実績を持っている会社を買収す

図8　多角化、新事業展開のM&A戦略のイメージ

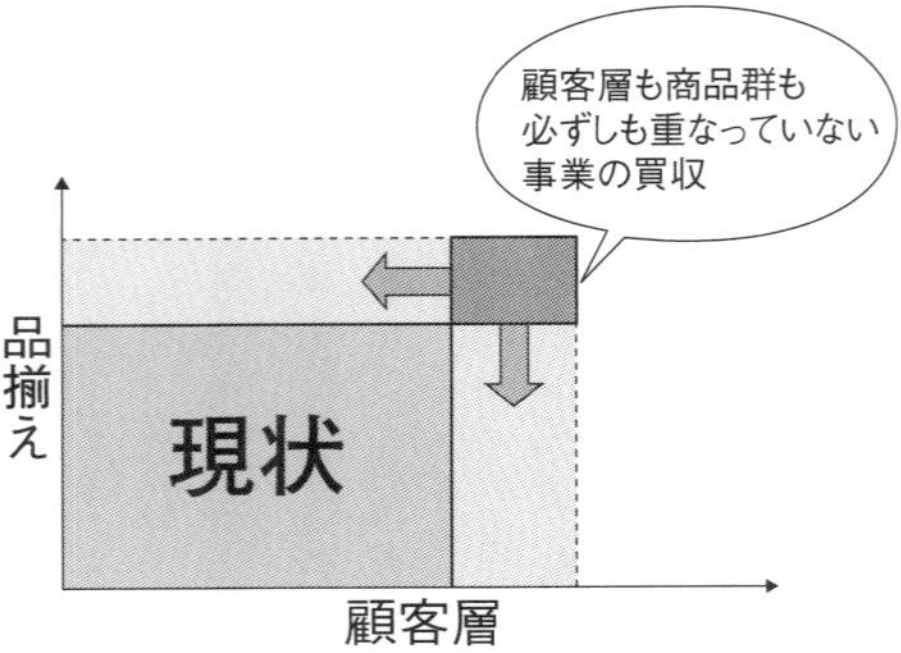

ることによって、自力での事業立ち上げよりずっと早くかつ確実に新規分野に進出できる、そのために通常よりも高い値段を支払う価値があるのです。まさに「時間と確実性をお金で買う」ところがこのM&Aの真骨頂です。

ただし、情報と理解の乏しい新事業領域への進出ですから、M&A後の経営で失敗する可能性が高いのも当然です。

「本業とは違う企業風土、文化の会社を支配できるのか。優秀な社員がやる気を失って辞めてしまう、相互不信でモチベーションが下がってしまわないか。給与体系や評価制度はどのように変えるべきか変えないべきか」

というソフトな部分が、新たな企業価値を創造できるかどうかのカギになることが多い、といえるでしょう。さらに、

「土地勘のない事業領域ゆえに『隣の芝生は青く』見えて過大評価してしまい、高すぎる

買い物をしないか」

という問題提起に答える形で、適正な買収価格も慎重に検討せねばなりません。

†M&A価格算定とDCF方式

M&Aの対象になっている会社のための「売買価格」の算定方法は上場公開されている会社の値段のつけかたと基本は変わりません。「将来キャッシュフローの現在価値」が企業価値算定の根本原則です。

総合家電メーカーのX社を買収したいので価格を算定してくれ、と依頼されたとしましょう。ちょうど第五章で上場家電メーカーの倍率比較をしているので、これを使うことができます。類似四社のEV／EBITDA倍率は平均で六・七倍となります。X社のEBITDAが二〇〇億円、ネット有利子負債が五〇〇億円だとすると、類似会社の値段から類推できるX社の企業価値、株主価値はそれぞれ、

EV＝200×6.7＝1340億円

株主価値＝1340－500＝840億円

と算定できます。意外に簡単ですが、相場感覚を持つ、という意味でこの価格算定結果は役立ちます。

ところが、

「通常の株価算定は倍率でいいが、M&Aの場合はDCFでやらなければいけない」

と、一般に言われています。DCF方式とは、第二章の米国流投資価値算定の発想のところで説明したDiscounted Cash Flow方式、キャッシュフロー還元方式のことです。対象会社が毎年生み出すキャッシュフローを現在価値に割り引いて合計する、という方法です。

倍率方式もDCF方式も考え方に違いがないことはこれまでに説明してきたとおりです。DCF方式での価格算定はたくさんの数字を並べてさも複雑精緻なように見えますが、結果は前提の置き方次第でいかようにも変わります。

DCF方式での企業価値算定実務についてはM&Aや企業価値算定の専門書を参照いただくとして、M&AにおいてDCF方式が重宝される理由は、算出方法が複雑精緻だからでも客観的合理的だからでもありません。むしろ逆だ、というのが実務でM&A交渉をやってきた私の実感です。M&Aがなぜ企業価値を創造する活動なのか、なぜプレミアムのついた価格でM&A取引が実際に行われるのか、という観点から見た場合、**買収者の「自**

分が経営すればもっと価値をあげられる」という主観を具体的に数字に反映することができる点がＤＣＦ方式の本領発揮の場なのです。

すぐれた経営者が買収対象会社の現場を一度見て、相手の社長と話して、財務諸表にひととおり目を通して、「ま、二〇億円ぐらいで買えるのならやってみたいね」と直感的に価格を算定するのを、私はよく目にしました。そして大抵の場合、その経営者の直感は見事に的を射ているものです。この直感を検証し、社内のメンバーや株主を説得し、相手との交渉の材料として使えるものにする。これがＤＣＦ方式の役どころだ、と私は考えています。

†支配権の値段の数値化作業

新たな企業価値を創造するためにその会社の意思決定や戦略方針策定を支配する、これがＭ＆Ａ活動の本質だ、と繰り返し述べてきました。その支配権を取得するためには、通常の投資家よりも高い値段を払う必要がある、これがＭ＆Ａの場合に支配権プレミアムを要求される理由です。その意味では、ＤＣＦ方式はシナジー効果や買収後の会社の姿を将来キャッシュフローの予想に具体化することを通じて、支払うことのできるプレミアム金額を具体的に数字で表現できる方式だ、といえます。

現経営陣が今のままの経営を続けた場合の五年収支計画と、自分が経営支配をしてシナジーを実現した場合の五年収支計画、この両者のDCF価値を比較すれば後者の方が高いはずです。買収対象会社の将来像が変わるのみならず、シナジーは買収する会社本体の側に生まれることもあります。その場合は、買い手会社側のプラスのキャッシュフローも足して価値を比較しなければなりません。今のままの経営によって生み出される将来キャッシュフローと、自分が経営することによって生み出されるはずの将来キャッシュフローの差、これを現在価値にしたものが支配権を取得するためのプレミアム支払いの根拠です。

もちろんこの場合、自分が経営した場合のシナリオで実現する企業価値金額を、そのまま売り手に支払ってはいけません。その上乗せ価値は自分が経営するからこそ生まれるのですから、会社を売って退場する売り手株主にその金額を支払ってしまってはお人好しにもほどがあります。その上乗せ価格は、あくまで相手に支払える金額の上限です。このうちどこまでを支払って取引を成立させるか、これがM&Aにおける価格交渉の勝負どころとなります。

以上見てきて分かるように、会社の値段、企業価値は見る側面によりさまざまに変化するものです。誰にとっても適正な価格がひとつ必ず存在する、というのは幻想にすぎない

と割り切ることがM&A取引のダイナミズムを理解する上で重要なポイントです。これが、

「M&Aの価格算定は科学ではなくアートである」

とよくいわれる所以《ゆえん》です。

M&Aにおける価格算定の真髄とも言うべき、支配権の値段についての考え方は、以上のとおりです。これに加えて、実際のM&A取引で値段のつけかたを間違って後悔しないために留意すべき点として、あと二つをあげておきましょう。M&Aの実務に携わらない読者にとっては退屈かもしれませんが、実はこれらは株式投資をする際の重要なチェックポイントでもあります。

†流動性の有無——なぜ上場廃止を選ぶのか

上場会社の時価総額は、株式市場で取引されている株価に基づいて算定されています。この価格は小口投資家でも参加でき、いつでも市場で売却して現金化できるという、出入り自由な気軽さを前提としてついている価格です。これが**「株価の流動性プレミアム」**といわれる要素です。M&Aにおいては、ひとつの会社が戦略的理由で株式の大半を取得するのですから、対象会社株式は通常その流動性を失います。したがって、M&A価格交渉

において、買い手は類似上場会社に基づいて算定された価格から流動性がない株式ゆえのディスカウントを要求します。ディスカウント幅は標準的に一五％などと言われていますが、何％が正しいか、はケース・バイ・ケースです。

ニッポン放送を巡る株式取得争いは、日本の一般投資家が株価の流動性プレミアムを非常に高く考えているのではないか、という疑いを感じさせる出来事でした。というのは、「フジテレビとライブドアが合わせて八五％以上の株式を取得すると上場廃止になってしまう」と、あたかも上場廃止になると持っている株の価値が大暴落するかのような論調でメディアは報道していたからです。上場廃止になるとニッポン放送の株価が五〇％下がると考えるのであれば、流動性プレミアムが五〇％もあることになります。堀江社長は「上場廃止になったからといって、株の価値が下がるわけではない」と平然としていました。私もそう思います。

流動性プレミアムについては、これとは正反対の現象も最近目にする機会が増えました。ワールド、ポッカコーポレーションという有名な会社が最近「上場廃止」を選択し、経営陣が投資ファンドと組んで上場会社を実質買い取る（この手法をManagement Buy-out、MBOといいます）という決断をしました。上場廃止を実現するために、既存の一般投資家株主の株式を三〇％以上のプレミアムつきで買い取りました。別の会社、別の経営者がシナジー効果や戦略的目的の実現を目指してM&Aをするわけではありませんから、支配権プレミアムの根拠はありません。この場合、プレミアムつき価格を支払う根拠は、経営陣の目には上場株式市場が会社の価値を適切に反映していないように見えるから、に他なりません。このようなケースでは、株価の中には流動性プレミアムはほとんど含まれていない、むしろマイナスである、ということになります。

†隠された負の遺産を見つけ出す

第五章で「企業価値と会社の値段はちがう」という話をしました。これまでM&Aにおける価格算定の特長として説明してきたことは、会社の将来にかかわる部分、つまり将来の企業価値創造の部分でした。しかし、**実際に売買される会社は「過去の遺産」と「将来の価値」を合体したもの**です。「失敗」とみなされるM&Aの中には、過去の遺産部分の評価での見落としが致命的になっているケースもあります。

ダイムラー・クライスラー社は、三菱ふそうというトラック会社を買収しましたが、その後リコール隠しという大きな問題が発覚し、その対応のための費用とブランドイメージ失墜による売上減少で大変な痛手を被りました。巨額の粉飾決算により前経営陣と監査法人に逮捕者がでたカネボウは、破綻して産業再生機構の下に入る前に花王との間でM&A

交渉が行われたものの決裂しましたが、花王がもしカネボウを会社ごと買収していたら今頃大変な苦労を背負うことになったかもしれません。

いったん買収を実行してしまうと、買った後で新たな問題が発覚してもなかなかその損失や費用を取り返すことはできません。もちろん、買収契約書で、「過去の問題で損失がでたらきちんと賠償する」と約束させることはできます。実際、ダイムラーはその約束の履行を求め、和解金として約八〇〇億円を取り返したと言われています。しかし、売り手がたくさんの株主である場合など、一人ひとりから支払った買収代金の一部を取り返すことは現実的に不可能です。

ですから、会社を買収する際には、過去の遺産部分がどうなっているかを徹底的に洗い出して、後になって爆発するような「時限爆弾」や「不発弾」をあらかじめ取り除いておくか、その分だけ買収金額を引き下げるか、の交渉をきちんとしておく必要があります。

それらのうち大きなものは、財務的な問題（会計処理をきちんとしておらず財務諸表にのっていない大きな負債がある、税金をごまかしていて巨額の追徴課税される可能性が高い、等）と法律的な問題（法令違反や製造物責任、環境問題の責任などの損害賠償訴訟が起こされる危険、等）のふたつです。そこで通常は、会計士・税理士と弁護士のチームが買収成立前に対象会社の中身を徹底的に調査して、そういった爆弾を事前に見つけ出します。この作業を**デ**

ユー・ディリジェンス（買収監査）といいます。

そもそも、会社を売却しようと思う経営者や親会社は、なにがしかの後ろめたいものを持っているのが通常です。「もたもた調査してないで早く決めてくれ、値段は割り引くから」などと言ってくる場合は、特に怪しいと疑ってかかる必要があります。売り手は少しでも売却金額を高くしたい、と会社にいろいろな化粧をほどこしてほころびを隠したり、自分が過去に起こした失態を正直に告白せずにうやむやのまま買い手に引き取らせたくなるものです。買い手側が戦略的にどうしても欲しいと焦り、あるいは競合他社に取られるのは何としても阻止せねばならないと決めつけてしまうと、得てしてこういう「ババ」を引いてしまうものです。

M&Aは熱いハートがなければ、なかなか実現してうまくいきません。同時にいつでも交渉から降りる冷静な頭がなければ、後悔する買い物をしてしまうものでもあります。

第八章

日本の敵対的M&A、米国の敵対的M&A

†三タイプの敵対的M&A――良い、悪い、微妙

M&Aの本質は、経営者の力量を競い合う市場活動だ、と前章で述べ、その活動が新たな価値を生み、社会を活性化する原動力になりうることを説明しました。その延長上に**敵対的なM&Aは悪ではない、**という発想があります。

ぬるま湯につかり、会社の金でぜいたくをし、自己保身のことしか考えない経営者から経営支配権を取り上げる、そのために会社の株主にTOBという制度を使って直接働きかけ株式をプレミアムつきで買い取る。これは投資家株主にとっても愛社精神あふれる社員にとっても、正義の味方の登場、日本でいえば悪徳代官をさばく遠山の金さん、西欧でいえばロビンフッド、の世界です。これを「良い」敵対的M&Aと呼ぶことにします。それ以外に、世の中には「悪い」敵対的M&Aと「微妙な」敵対的M&Aがあります。

悪い敵対的M&Aとは、影響力ある数の株式を買い集め、スキャンダルなどをネタに経営陣を脅し、自分の買った株式を高値で引き取らせたり、その会社から自分のところに融資をさせたりするタイプのものです。一九八〇年代、蛇の目ミシンなどの株式を買い占め、最終的には証券取引法違反で逮捕された小谷代表率いる光進などが有名ですね。日本では

「仕手筋」などと呼ばれていますが米国ではこういう人たちを**「グリーン・メーラー」**といいます。脅迫状という意味のブラックメールとドル札の緑色をかけた造語ですが、同じく一九八〇年代後半に、小糸製作所の筆頭株主に躍り出て系列大株主トヨタに株式を高値で買い取らせようとしたT・ブーン・ピケンズなどが有名です。

仕手筋やグリーン・メーラーは、会社の新たな価値創造になんら貢献しません。むしろ会社の富を全株主ではなく自分たちだけに優先的に回せといっているわけですから、他の株主にとってても悪い存在なのは明らかでしょう。

では、スティール・パートナーズや村上ファンドはどうでしょうか？　たしかに自分たちも大儲けしていますが、それは同時に全ての株主にも同じ利益をもたらしています。非効率にしか使われていない会社の資金をより効率よく使うために株主に還元せよ、という主張は極めてまっとうなものだと思います。

しかし、これらのファンドは、会社の持っている企業価値、つまり将来キャッシュフロー、を増やすために貢献したのか、というとそうとは言いにくいところがあります。もちろん、経営者をぬるま湯に浸かりきったままにせず、緊張感をもって経営に携わる監視役として価値を生んでいる、という言い方はできるでしょう。しかし、スティール・パートナーズのように、丸々毛太りした羊をみつけてバリカンで羊毛を刈り取って、それが終わったらさっさと退場する場合、そんなに高い価値を生んでいるとは言い難い面も正直あります。これらの人たちは、むしろ株式市場の価格形成がおかしくなっていることを指摘して、市場があるべき価格形成に向かうのを促進している、そこに大きな価値があるのだ、と割り切るのが資本主義社会に生きる大人の対応なのでしょう。

そして二〇〇五年、日本の敵対的買収は新たな局面を迎えました。メディアは「米国型敵対買収の世界が遂に日本に上陸！」と書き立てました。たしかにそういう事例も出てきています。二〇〇五年春に、世間が最も大騒ぎしたニッポン放送をめぐるライブドアとフジテレビの争いが起こり、そして二〇〇五年後半には、楽天がＴＢＳの株式を買い集めた上で経営統合を申し入れました。これらの事例は、米国流という受け取られ方をしている一面がありますが、実は米国的な敵対的Ｍ＆Ａのやりかたとはかけ離れている点も多々あります。ディズニー社に対するコムキャスト社の敵対的買収申し入れのケースを例にとって検証し、これらのＭ＆Ａ合戦の間にどのような違いがあるかを考えてみます。

†ライブドアとフジテレビ――何をめぐる争いか？

一見明白なこの質問なのですが、ニッポン放送を巡るフジテレビとライブドアの争いについて改めて考えはじめると、いろいろ頭が混乱してきます。

「ニッポン放送の支配権を巡って」というのが正解のはずです。

米国的な敵対的買収合戦であれば、フジテレビとライブドアは、それぞれが、「ニッポン放送はフジサンケイグループの一員としてフジテレビの子会社になるべき」「いやいや、ライブドアグループに入ったほうがメリットが大きい」という論戦になるはずですが、ライブドアはフジサンケイグループと提携関係を強化するためにニッポン放送の株式を取得したので、そういう戦いにはなりません。ライブドアの本当の狙いはフジサンケイグループの支配権です。とするとフジサンケイグループ、その盟主であるフジテレビ、の支配権を巡って両者は争っていることになります。

でも、この二人は同じ立場ではありません。ライブドアはフジテレビの株主になって、経営に参画したいと言っており、フジテレビの代表としてライブドアと戦っていた日枝会長はその会社の経営陣です。会社の経営陣を決めるのは誰でしょうか？　株主総会で取締役を投票で選任するのですから株主ですね。ということは、日枝会長はフジテレビの今の株主の意見を代弁している、この争いはフジテレビの株主と堀江社長が、フジサンケイグループの経営方針は誰が決めるべきかを巡って争っている、ということになります。

フジテレビの今の株主とは誰でしょうか？　フジテレビも株が上場されていて、たくさんの投資家株主がいます。その株主の総意を代弁して、日枝会長は「自分が経営者としてふさわしい」とライブドアと争っているのです。でも、当時のフジテレビの筆頭株主はニッポン放送です。ですから、日枝会長は大株主ニッポン放送の意向を踏まえて発言し、経営しなければなりません。

では、ニッポン放送の「意向」は誰が決めるのでしょうか？　本来日枝会長ではないはずです。ニッポン放送の意向を決める株主は過半数の株式を取得したライブドアとなります。つまり、ライブドアの意向を踏まえてニッポン放送がフジテレビの経営方針を決め、その意向に沿ってフジテレビの経営陣である日枝会長はフジサンケイグループの経営方針について発言しなければなりません。一方、フジテレビとニッポン放送はお互いの大株主という株式持ち合い関係にあります。持ち合い株式が株式時価総額の水増しにあたる危険性については先に述べましたが、それは議決権についても同様です。実際には金を使わずに相互に相手の会社の議決権を持ち合うことが可能になってしまいます。それを防ぐために商法に規定があり、フジテレビがニッポン放送の二五％以上を保有するとニッポン放送の保有するフジテレビ株式の議決権がなくなってしまいます。一番の大株主の議決権がなくなれば、ニッポン放送の支配権がどこに移ろうがフジテレビ経営陣としてはひと安心です。

いかがでしょうか？　一体誰がどこに対してどういう支配権を持っているのか、持とうとしているのか、よくわからなくなってきますね。戦後、伝統的日本会社の経営陣はこれを意図的にやってきたフシがあります。持ち合いや取引先等による安定株主作りによって、会社の支配権を金では買えない状態にしつつ、上場会社として一般投資家に株を売って資金調達をしたり持ち合い株式の売却益で毎年の利益を安定させたりするメリットを享受してきました。

フジテレビの場合、さらにややこしいのは、ニッポン放送がもともとはフジサンケイグループを創設した鹿内一族の持ち株会社だったため、これを上場して一般投資家株主を増やし一族の経営への影響力を弱めようという意図がフジテレビ側にあったことです。これがいわゆる「資本関係のねじれ」といわれている問題です。フジテレビはその問題についてはずっと頭を痛めていました。日枝会長は、その構造をフジテレビ中心の構造に再編しようとし、ようやく目途が立ったのでTOB制度を使ってニッポン放送をフジテレビの子会社化することにした。その矢先に突然ライブドアが登場し、ニッポン放送の過半数株式を市場で取得してしまったのです。

「ころころ大株主が代わりその都度経営方針が右往左往するような形では、まともなグループ経営はできない！」

と反発したくなる、これが日枝会長の本音でしょう。その気持ちはよくわかります。しかし、そうであるなら上場会社たるもの、投資ファンドなどが「割安だ」と思うような価格に株価を放置していてはいけません。

では、ライブドアが仕掛けたこの戦いが「良い」敵対的M&Aであるとすると、最初の質問の答えは何でしょう？　それは、「両者はフジテレビおよびニッポン放送の企業価値を高める経営者は誰か？」を巡って争っている、というのが正解のはずです。フジテレビもニッポン放送も株式を上場公開している会社です。フジテレビが経営支配するにせよ、ライブドアがするにせよ、大株主だけが得をし、一般株主投資家にとって不利益になるような経営をすることは許されません。日枝会長と堀江社長は、その立場に誰がふさわしいかを巡って争うのが筋でしょう。

ところが、実際の展開は、堀江社長が、

「仲良く提携して一緒に企業価値を高める経営をやりましょう、と言っているじゃないですか。争うつもりはないです」

といい、日枝会長は、

「そういうつもりなら法の穴をすり抜けて株を買い占めるようなマネをするな。そういうことをする会社とはとても信頼関係は築けない」

と応酬し、さまざまな防衛策を繰り出しました。そのやりとりは、正直なところ経営、企業価値の創造、という観点からはかなりレベルの低い戦いで、何を基準にどう争っているのかよくわからないといわれても仕方ない面があります。案の定、争いの決着は、フジテレビによるニッポン放送の子会社化をライブドアが認めて株式を取得した価格とほぼ同じ金額でフジテレビに売り渡し、同時にフジテレビはライブドアに資本参加し業務提携の可能性を引き続き検討する、という双方メンツのたつ形の、よくわからないものとなりました。「一体何を争っているの？」という素朴な疑問は、ことの本質に迫る大切な疑問だと思うのです。

ライブドアのやったことが、敵対的M&Aの三分類のどこにはいるか、は私にもよくわかりません。結果を見れば、法の抜け穴を通るような方法で株を買い集め、それをいやがるフジテレビに引き取らせて、かつ四四〇億円の出資を勝ち取ったわけですから、グリーン・メーラーのようにも見えます。ラジオ放送事業の企業価値よりも保有しているフジテレビ、ポニーキャニオンなどの株式の価値が大きく、その割にはニッポン放送の会社の値段（株価）が安いと判断してライブドアが株を買い集めたとしたら、これは前述のファンドの投資行動と同じ動機だということになります。ネットとメディアの融合を図るための資本提携を通じて両社のシナジーを生み出し、企業価値をあげるための争いであれば、それは健全な敵対的M&Aで、世の中の活性化につながります。この評価は恐らく人によりまちまちでしょう。
ただ、これが今の典型的米国的M&Aスタイルとは異なるものだというのはたしかです。

†米国の敵対的M&A合戦――ディズニーの場合

では、二〇世紀初頭から何度もM&Aブームを経験してきた米国の資本主義市場では経営支配をめぐる攻防戦において、どのようなやりとりがなされ、どのような基準で勝敗が決まるものなのでしょうか？　誰でも知っている米国のウォルト・ディズニー社の事例が参考になります。

ディズニー社は世界の人々に夢を与える、良きアメリカの象徴というイメージが強いかもしれませんが、実は株式会社としては歴史的にあまり評判がよくありませんでした。ビジネスウイーク誌が毎年行う米国企業の取締役会評価では、長年worst（最悪）の地位にいたのです。これは、アイズナー氏を中心とする経営体制が二〇年近くにおよび、取締役会メンバーも、ディズニー社と取引関係を持っていたり、アイズナー氏の個人的親友で占められていたりしたことによります。このような経営陣に対する不信感が高いせいもあり、ディズニー社は株価が下がるたびに過去に何度も敵対的な企業買収の標的とされてきた、という歴史があります。最近の二〇〇四年にも、全米トップのケーブルTV事業会社であるコムキャスト社から敵対的な買収（吸収合併）を申し入れられ、それを拒絶しています。その経緯と双方のやりとりを、米国での敵対的買収の臨場感を味わう意味で紹介しておきます。

まず、コムキャスト社のブライアン・ロバーツ社長は、ディズニー社のマイケル・アイズナー会長兼CEOへ合併を非公式に打診します。それが拒絶されると、次に正式な合併提案のレターを送り、同時にそれを記者発表して議論を公の場に持ち出しました。そのプレスリリースでは、コムキャスト社の社長は両社の株主に対して次のようなメッセージを送りました。

この合併はエンターテイメントとコミュニケーション（放送・通信）業界のニューリーダーを作ることができる、コムキャスト・ディズニー両社の株主にとってまたとない機会です。この取引は大きな株主価値（shareholder value）を創造するのみならず、統合された会社をこの業界において強い競争力ある地位に位置づけることになるでしょう。

レターそのものはアイズナー会長とディズニー社取締役会に対して送られていますが、実際のメッセージはコムキャストとディズニーの全ての株主に対して送られています。大きく違うのは、市場で株を買い進めるのではなく、相手方であるディズニーの株主全員に対して、プレミアム付の比率で株式交換する、と正面から提案している点です。先に説明したとおり、本当に企業価値を生み出す自信があるのなら完全に支配権をとり、事業の完全統合を最初から目指すのが筋の通ったやりかたです。そして、その企業価値増加という果実は、コムキャストの株主とディズニーの株主がフェアに分け合うことができるよう、吸収合併という形をとっています。つまり、ディズニーの株主は現金を受け取って追い出されるのではなく、合併した新会社の株式を受け取って将来の株式の値上がりを期待できる形になっています。このアプローチは、市場で株を現金で買ったライブドアとも、現金でニッポン放送株を買い取ろうとTOBをかけたフジテレビとも異なります。

ディズニーの取締役会は提案を受けるとすぐに外部専門家も交えて内容を検討し、五日後、全員一致でこれを拒絶することを決定しました。その理由は、株式の交換比率がディズニー社株主にとって不利であること、に尽きます。

交換比率はプレミアムつきで設定されているのに、これがディズニー株主にとって不利であるとはどういうことでしょうか？　現経営陣のもとで株価はもっと値上がりさせてみせるからそのまま持っていた方が得ですよ、というのがその理由づけなのですが、そこには経営陣のひとりよがりではなく、市場がそう判断しているという後ろ支えがありました。コムキャスト社はたしかにプレミアム付の交換比率を提案したのですが、発表直後にコムキャストの株価は下がりディズニーの株価は上がり、交換比率のプレミアムはすでになくなってしまったのです。

取締役会が発表した声明は、米国の上場会社が、敵対的M&Aに対してとるべき姿勢をよく表しているので、原文を交えて引用します。まず彼らは、

「取締役会は、現在、そして将来の株主価値創造（creating shareholder value）に邁進し、その目標を達成するかもしれないあらゆる正当な提案を真剣に検討する（carefully consider any legitimate proposal that would accomplish that objective）」

と株主価値が最優先であることを宣言し、

「コムキャスト社のものであろうが、他の会社からのものであろうが、提案については全てを真剣に検討し、ディズニー社の株式の有する真の価値を反映するだけのプレミアム（appropriate premium to reflect the full value of Disney）が付されている条件であるかを吟味する」

と、コムキャスト社であれどの会社であれ、提案は頭ごなしに拒絶せず、真摯《しんし》に受け止

め検討することを宣言しました。その上で、

「アイズナー会長とその経営陣のリーダーシップの下での事業・財務・制作面での方向性 (business, financial and creative direction of Disney under the leadership of Michael Eisner and his management team) が正しいという自信を持っており、現状の組織と戦略が株主価値を極大化すると取締役会は期待している (Board expects the company's current structure and strategy will maximize shareholder value)。ディズニー社の持つ真正な価値と将来利益をフルに反映しない買収提案を受け入れることは、取締役会の最優先事項である株主の利益に資するものではない (The interests of Disney shareholders, which represent the fundamental priority of the Board, would not be served by accepting any acquisition proposal that does not reflect fully Disney's intrinsic value and earnings prospects)」

と締めくくっています。

何度も繰り返し「株主価値が最優先」ということが強調されていて、公共の利益やメディアの使命といった観点は、全くはいっていません。

同日付でコムキャスト社は、

「我が社の提案した交換比率は、合併のニュースによって変動した株価分を考慮にいれな

ければ、引き続きフェアなものである」

との声明を発表し交換比率の変更に応じず、合併話は流れることとなりました。

この攻防にはさらに続きがあります。創業株主ディズニー家を代表するロイ・ディズニー前副会長はアイズナー会長の経営に対して、投資の割に収益があがっていないと不満を持ち、確執が表面化していました。コムキャストからも狙われるようでは心もとないということでしょうか、その一ヶ月足らず後に開かれたディズニー社の株主総会では、アイズナー会長の取締役再任に反対するキャンペーンが派手に展開されました。過半数の賛成を得て取締役の選任は承認されたのですが、四三%という予想外の反対票の多さから、結局、アイズナー氏は自ら会長職を辞任しCEOに専念することになり、一年半後の二〇〇五年九月、任期を一年前倒しにしてCEO職からも辞任しました。

八〇年代の敵対的買収ブームの中で裁判等を通じてルールが形成された米国におけるM&Aの攻防戦は、九〇年代以降、大抵の場合ディズニー社の例のように展開されています。価格が徐々に引き上げられて、二年越しの交渉で買収が成立するオラクル―ピープルソフトのようなケースもあれば、途中で第三の会社がより魅力的な提案を出して横からさらっていくケースもあります。

日本での攻防戦の多くと比較したときの際立った違いとして、何を感じられるでしょうか？　それは「正々堂々と正面から主張がなされ、争点が明確でわかりやすい」という点ではないかと思います。**米国における攻防戦は「株主価値を最も引き上げるのは誰か」「誰に経営を任せるのがより株主にとって利益があるか」という一貫した座標軸の上で展開されます。**そこにはもちろん短期的な利益と中長期的な利益という視点の違いが出ることはあります。それも含めて、全てを「株主価値」という数字に反映する形で主張しあい、それを市場が株価の変動という形で評価し、最終的には株主の投票（売るかそのまま持ち続けるか）によって勝負が決まる、これが長年の歴史を経た米国におけるM&Aの今の姿です。

†新たな展開——楽天とTBS

日本における買収合戦は、二〇〇五年、さらに新たな展開を見せました。楽天による東京放送（TBS）株式取得と経営統合の提案は、典型的な米国的アプローチと、伝統的な日本的アプローチの両方を取り入れ、かつそのどちらとも違うものでした。

提案の動機は、前述三分類でいう「健全なM&A」の範疇にはいりそうです。「ネットとメディアの融合」という漠然としたスローガンではなく、事前に練られた事業計画案をすかさず正面玄関から提示し、その真剣度を示すために二〇％近くの株式を取得する、という形でした。市場で「割安」になっているから、という理由ではなく統合によりシナジーが生まれ両社の企業価値があがることを目指していたのは明らかです。ただし、なぜそのために了解もなく市場でいきなり一五％も買い集めたのか、TBS側の要請を無視してさらに買い進んだのか、の説明は明確になされていません。統合話が流れたとしても株式売却益を上げられればOK、と考えているとしたら、これは投資ファンド的な動機も見え隠れしているということになります。他の会社とがっちり組まれることを防止するために、主要株主のポジションを確保しておきたい、という戦略的意味も恐らくあるのでしょう。

楽天の提案は、「敵対的」な印象づけを極力抑える配慮がなされました。

まず、吸収合併や買収という、どちらかがどちらかを喰う形ではなく、**共同持株会社化を通じた経営統合**という形を提案しました。これはいわば、「自分が親であなたは子になれ」というのではなく「兄弟になりましょう」ということです。第一勧業銀行、富士銀行、日本興業銀行が統合してみずほホールディングスを新たに作る、イトーヨーカ堂とセブン-イレブン、デニーズがセブン＆アイ・ホールディングスを作って親子的関係から兄弟関係になる、というのと同じです。合併してひとつの会社になるわけではなく、それぞれが独立し、それぞれの企業文化を尊重したまま兄弟会社として統合しましょう、ということによってＴＢＳ側の社員等の心配を和らげようとしました。

さらに、株主至上主義の米国的やりかたへの日本世論の反発心に配慮してでしょう、株主価値のみを強調せず、むしろ「両社の株主、従業員、視聴者、リスナー、お取引先、ユーザーその他のステークホルダーの皆様の享受する価値とサービスの質を最大限に高める」と、日本的な意味での「企業価値」を高める表現を使っていました。

対するＴＢＳ側も、ニッポン放送を巡る争いから多くを学んだ成果を発揮し、感情的反発を押し殺して冷静に合理的に対応する姿勢を見せました。**第三者的中立者からなる企業価値評価特別委員会**を設置して検討する、というスタイルは、敵対的Ｍ＆Ａを仕掛けられた場合米国の会社がほぼ必ず取る手順です。これは、現経営陣が自分たちの保身のために企業防衛をしているのではないことを明らかにする効果があります。

しかし同時に、この事例が米国的な展開と大きく異なる点も相変わらずあります。

一番の違いは、株価についての提案が全くないことです。持ち株会社を上に作って兄弟になる統合の場合でも、ＴＢＳの株主と楽天の株主はどういう比率で持株会社株式をもらうのか、という意味で会社の値段を算定する必要があります。楽天の意向としては最初からプレミアム付きという金に任せたようなアプローチはよくないと考えたのでしょうが、そういいながら二〇％近くの株式を買い集めて「筆頭株主」のポジション確保をまず行う、このあたりの順序だてがいかにも日本的です。ディズニーの場合、取締役会が合併提案を拒絶した理由は、「提案内容がディズニー株主にとってよい条件（価格）ではないから」に尽きたわけですが、統合比率の提案なしでは、TBSの企業価値評価委員会は、株主にとっての評価をディズニー役員会と同じようには明確に行えません。評価委員会メンバーが、株主にとってよい提案かどうかの検討以前の問題として、楽天のやり方についてコメントしている点、回答を長引かせている間に安定株主工作を進めた点、も大きな違いでした。

そしてもうひとつ、楽天のアプローチが米国的なものと違う部分は、統合持株会社の経営のリーダーシップは誰がとるのかが曖昧になっている点でしょう。本書で繰り返し述べてきたとおり、企業価値を創造するのは経営陣です。「友好的」を強調している楽天ですが、もし三木谷社長が自分のリーダーシップで企業価値増大をスピードアップしてみせると言うのであれば、やはり現経営陣とどこかで対立して「敵対的」にならざるを得ません。

そう考えていくと、市場で株式を買い進むよりも、コムキャストがディズニーに対して行ったように、最初から全株主に対してプレミアム付きの統合提案を出すやり方のほうが白黒はっきりして良かったのかもしれません。本来はそうしたいのだが、多くの日本人感覚にそぐわず賛同を得られない、一発勝負でうまく行かないとしてもあきらめがつかない、他社に横からさらわれないように進めたい、等々さまざまな考慮の末の「株取得＋統合提案」作戦なのでしょうが、日本的、米国的のどっちつかずになり、かえって「らしくない」アプローチとなってしまった感があります。

結局、楽天はいったん統合提案を取り下げることになりました。楽天にとってなにより痛かったのは、統合提案後楽天の株価が下がりＴＢＳの株価が上がったことでしょう。それが市場の評価であるならば、三木谷社長は統合提案をそのまま進めた場合交換比率で割を食うことになる楽天株主を、「統合後のシナジーが巨大だから楽天株主にとっての価値は下がらない」と説得しきる必要が生じたのです。両社の株価が統合提案とその後の動向によって敏感に上下し、それが両社の経営判断に影響を与える姿は、コムキャスト－ディズニーの事例と同じです。その意味では日本の株主投資家、株式市場がかなり米国的なものに近づいてきた、と言える事例ではないかと思います。

第九章

日本らしい「会社の評価」のために

†資本主義は万能？

投資家として会社を見る習慣をつけると、意味や重要性がピンと来ずこれまで見過ごしてきたM&Aやファンド活動のニュースも違った見方ができるようになります。なんとなくおかしいがどこがどうおかしいのかよくわからなかった出来事について考える視点、自分の意見をまとめる力が備わってきます。お金を稼ぐこと貯めることにばかり気をとられていると、せっかくの努力の果実が知らぬ間に目減りし、他人がそれを元手に大儲けするのを指をくわえて見るハメに陥ります。米国的といわれる投資価値計算と株式市場での会社の値段づけのしくみを知り、そして現実にはその通りになっていない日本市場において、基本に忠実なやりかたで大儲けするチャンスがある様子も、かなり実感していただけたのではないかと思います。

その一方で、昔ながらの勤労の美徳が失われてゆくのではないか、と不安を感じる日本人が多いのも事実です。自由市場で会社の値段、会社の支配権をふくむすべてのモノの値段が決まり、皆が投資家としての金儲けのことばかりを考えることによって、本当により効率的で元気な社会が築けるのでしょうか？　特に、**環境問題や貧富の差の拡大という重大な問題をかかえている現代社会において、「成長し続ける」、「キャッシュフローを増や**

す」、という尺度だけで人間は幸せになれるのか、という根本的な疑問を持つ人も多くいます。これは日本のみならずヨーロッパでもそうですし、かなり多くの米国人も「資本主義万能」に疑問を持っているというのが実情です。

最終章となる本章では、敵対的M&Aという手法を例にとり、これまで先送りしてきたいくつかの疑問をとりあげて検討しつつ、この最も重要なる「素朴な疑問」に取り組みます。

†敵対的買収防衛策の必要性

グリーン・メーラー的企業買収は悪であり、そのような敵対的買収から会社を防衛することは経営陣として当然です。むしろ、経営陣には中途半端な妥協をせずきちんと戦う義務があります。

これに対して、経営者が代わったり強力な会社の傘下に入ることによって新たな価値が生まれるM&Aは、敵対的であろうとなんであろうと「良い」M&Aだという話をしました。なぜならば、売り手の株主は、プレミアム付きの値段がついてハッピー、買い手は経営支配権を手に入れることによって生み出す新たな価値を手に入れてハッピー、社員はより安定し活性化した会社で力を発揮できる場が広がりハッピー、と、皆にとりプラスだからです。

では、買収者が単なる自信過剰で、経営力もないのにプレミアムつきの買収提案をしてきた場合はどうでしょうか？

きちんと経営されていた会社を破壊してしまうことは社会的にもマイナスですから、そのような買収は阻止すべき、これが企業防衛策を講じ敵対的買収に反対する人たちにとってのひとつの大義名分となっています。

しかし、金儲けが最優先の投資家株主は、その買収が失敗に終わることを知りつつも、自分優先で株を売り渡してしまうでしょう。現経営陣がいくら反対しても、今の株価よりも高い値段で自信過剰な人が買い取ってくれるなら、それに飛びつかない手はありません。その結果買収取引は成功し、持ち株を高く売れてハッピーです。しかし、その後会社の経営はおかしくなり企業価値は下がります。

最も痛手を被るのは高い金額を払って手に入れた会社の企業価値が下がって損をする自信過剰な買収者ですが、これは自業自得ですから仕方ありません。問題はいい加減な買収者に対抗して退陣させられた良心的な現経営陣や、わけのわからぬ新経営者のもとで失敗戦略を実行させられた社員の不幸をどうするか、です。

このようなケース、「持ち株を高く売れさえすれば売った後の会社のことは正直どうなろうと知ったことではない」という強欲な投資家の利益は保護されるべきでしょうか？それとも買収後の企業価値が下がるような取引にはストップがかけられるべき、利益をとり損なうとしても我慢すべきでしょうか？

自由市場的な考え方によれば、それは個々の株主投資家が判断すべきものであり、経営陣の一存で買収を拒絶することは許されません。この考え方は別に拝金的な米国的発想だからという話ではなく、おそらく日本の裁判所も同じ判断を下すでしょう。

世のため人のためにならない買収が行われようとしているときに強欲で視野の狭い投資家を守る必要はない、社員や取引先などのステークホルダーの利益とのバランスが必要だ。良識ある読者はそう思われるかもしれません。しかし、この例には落とし穴があります。それは**「自信過剰で経営力もないのに」という判断は誰がしたのかがわからない**点です。この判断を間違いなく下せる人は、裁判所を含め実際にはいません。会社の経営はやってみなければわからないのです。ルノーが日産の再建に乗り出したとき成功すると確信していた人がどれほどいたかを考えてみれば、経営力の判断は難しいことがわかります。

そもそも、自分の金を投資して買収した人がみすみす企業価値を下げる経営を喜んでするはずがありません。その人自身には経営力がなくても、日産のゴーン社長のような人を連れて来ることができないとは誰も断言できません。リップルウッドが長銀（日本長期信用銀行）を買収した際も、日本の金融慣行を理解し行政当局とうまく付き合える経営者がいなければ銀行再生なんてできない、とタカをくっていた人が多くいました。しかし、リップルウッドには、シティバンクの日本支店を成功させた実績を持つ八城政基氏を社長に招聘《しょうへい》する力がありました。

自信過剰、実績と経験がない、といった買収者の悪役イメージも、よくよく見れば自らの保身を図る経営陣や社員がメディアの助けを借りて演出しているだけかもしれません。現経営陣の方が経営力があるというのなら、どんな経営者を連れてくるよりも今の経営陣に任せたほうが中長期的に企業価値を高められることをきちんと示して、プレミアムが少々ついている提案だからといってあわてて売らないよう株主を説得するのが本筋でしょう。

「それは正論だが、実際には株主が目の前の金儲けに目がくらんで正しい判断ができないから困っているのだ」

と企業防衛論者は言うでしょうが、そこに問題の本質があります。こういう人たち（主に経営者自身ですが）は株主投資家の判断力を信用していない、自分たちの判断が株主投資家の判断より優れている、と理由も示さず断じています。経営陣の本音が、「株主には正しく会社の値段を判断できない」にあり、「そういう株主にいちいち説明、説得するのは手間がかかるから即効性のある撃退策が欲しい」と言っているとしたら、この経営者の傲慢さは保護されるべきなのでしょうか？　こう問いを変えてみれば答えもずいぶん違ってくると思います。

「いちいち説明させるな。黙って任せとけ」。こう言い切ってきちんとした経営を実践し結果を出している経営者はたくさんいます。「民は知らしむべからず、由《よ》らしむべし」という江戸時代的な行政手法の伝統を引き継いだ発想はいまだに根強い人気を持っていますし、それなりの根拠のある言葉だとは思います。平時はそれで済むかもしれません。

しかし、ひとたびプレミアム価格の敵対的買収がかかったら、黙って任せとけ、は通用しません。今度はこれまで黙っていた株主が、

「買収者とあなたとどっちがいいかは我々が判断しますから、黙ってないでちゃんと自分の経営が買収提案者のそれよりも優れていることを説明してください。でなければ、高い価格提案の方に賛成票を投じますが、あなたにそれを止めろという権利はないはずです」

と言う番です。株式を上場して不特定多数の投資家が資金をリスクにさらしているのですから、それは当然です。

普段からきちんと説明して株価を敵対的買収者が来ない水準に保つ努力をするのが本来あるべき姿ですが、買収者が現れたら被害者的に助けを求めたり仲間内で互助会を作った

りばかりしないで、堂々ときちんと説明して株主を説得しきる、最低限その覚悟ができていなければ上場会社の経営者は務まりません。

†会社への依存——国民性の違いか？

良い敵対的M&Aは企業価値すなわち将来キャッシュフローの増加をもたらす、という場合、もうひとつ湧いてくる重要な疑問は、

「リストラをがんがんやって人を減らし下請けを整理し資産を売りとばせばキャッシュフローは出るが、そういう方針の敵対的M&Aが横行するのがよいことなのか」

です。

一九八〇年代後半に敵対的M&Aブームが起こった米国でも、同じような批判の声が上がっていたことは第二章で振り返ったとおりです。株主投資家の利益を守り、自由市場で決められる値段が全て、という立場をとると弊害はたしかに起こります。短期的な利益にばかり目が奪われてしまい、長期的な成長や新しい技術開発投資の視点よりも、コストカット、ダウンサイジングで利益をしぼり出す方向に経営が流されがちになるのは事実です。

ニューヨークの投資家は儲かるが、工場閉鎖で失業者が増え、地域経済へはマイナスが大きい、と、全米のかなり多くの州では従業員や地域社会の利益も考慮にいれるべきとい

う企業買収制限の法律が制定されました。とはいえ、これは株主の利益よりも従業員や地域社会の利益を優先せよというほど強いものではありません。そんな州法を作ったら今度は州に工場進出する会社が減り、よその州に出て行きたがる会社が増え、地域社会にとりむしろ逆効果になるからです。経営の効率化には株主投資家が常にプレッシャーを与えることが必要で、経営支配権を争うM&A活動が社会にとって善である、という原則は米国ではやはり譲られていません。

日本に比べて米国でこのような考え方が広く国民に支持される背景のひとつには、会社と個人の関係が日米で違うことがあげられるように思います。年功序列、終身雇用、企業別組合に代表される戦後日本の労使関係は、会社と個人が運命共同体になることを善とする発想です。社員の価値は、その会社に居つづけるほうが自由に転職するより高くなるように給与体系、昇進体系が設計されています。その結果、日本には経営者、管理職、一般社員、全ての層において、自由に転職できる環境が整備されにくい、優秀な人がなかなか会社から外に出ない環境が長年続きました。

米国においては、会社と個人の関係がよりドライです。愛社精神、社員の一体感を誇る米国の優良会社はたくさんありますが、米国企業の現地で実際に働いてみた私の受けた印象では、それは会社という抽象的な器や看板への帰属心というよりは経営者、上司、同僚間という個人間の信頼関係がベースになっています。経営者が変わるとあっさりと前のボスについていって辞めたり、チームごと別会社に移籍してしまったりということがごく普通に起こります。成長性のない会社や業界から新しい成長産業への人のシフトも活発です。フォードの工場で働いていた人が、マクドナルドやウォルマートに移り顧客サービスを学び、さらにIT企業のカスタマーサービス部に転職してマネージャーになる、というのは立派な昇進キャリアで、尊敬されることはあっても、「一流会社からハンバーガー屋、そして名前もしらない中小企業へ落ちぶれた」といわれることはまずありません。

長期安定した組織でじっくり仕事に取り組む環境と、変化を当然のこととしてそれに迅速に対応する環境、どちらがより競争力のある組織・人材を育む環境なのか？　この質問に正解はありません。日本型が間違いで米国型が正しいというつもりもありません。各会社の経営者が、それぞれの事業の特長と現状に応じて自己の信じるスタイルで経営して、結果で勝負すればよい、それだけです。

社員の立場から言えば、「自分はずっとこの組織で育ち自分の良さはこの会社でしか通用しない」と思う人にとり、敵対的買収は脅威です。これまで積み上げてきた自己キャリアの全面否定につながりかねないからです。しかし、会社のブランドや終身雇用等の制度に依存しないで働いている人は、買収されて社名や経営者が変わるとしてもそれ自体に拒絶反応を起こすことは少ないでしょう。買収者の経営方針が絶対間違っている、自分には合わない、という確信があるならば、ライバル会社へ優秀な仲間と一緒に移って買収者を見返してやろうと燃えるなり、この機会に自分のスキルを生かせる別業界へ移るなり、終身雇用的発想とは違った選択肢が生まれてきます。

米国は、よりオープンでやり直しのきく社会であり、それ故に買収に対して社員が感情的に反発する度合いも低いように見受けます。逆に、日本ではそのような雇用環境、自由でやり直しのきく転職市場がまだまだ未発達だとするならば、その労働市場の違いが敵対的買収を抑制する要因になります。つまり、米国と同じ発想で買収をしても、その後の社内人間関係がぎくしゃくしたり、強引なリストラが社会的批判の的になったりして、買収後の経営が失敗してしまうのです。日本における敵対的買収はこのリスクを勘案して企画しなければならない、だからこそ、敵対的M&Aがこれまで日本ではほとんど行われなかった。これは感情的な理由ではなく経済合理的な理由です。

その意味では、日本企業の雇用形態や人事制度が低成長時代を迎えて変わってきたことや、新しい世代の会社観がよりドライになってきたことと、M&Aが日本で活発になってきた時期が一致するのは偶然ではありません。M&Aを社内改革の起爆剤として位置づけている日本の経営者も決して少なくありません。

日本の会社は運命共同体であり、それは農耕民族の国民性からくる、という説明をよく聞きます。たしかにそういう感覚がなじむ日本人が多いと思います。しかし、同時に例えばプロスポーツの世界では、かなり以前からチームの監督は自由な雇われ人という感覚が定着しています。読売ジャイアンツで、以前監督変更は「グループ内の人事異動」という発言があり、たしかに原監督はまた人事異動してきましたが、これはむしろ例外です。そして、結果がでなければすぐに首が飛ぶのが当たり前、とばかりにファンやサポーターは厳しくそのパフォーマンスを監視します。会社の経営者についても、このような流れが生まれつつあります。経営陣は会社の生え抜きで社員の代表かつ会社の支配者なのか、それとも単なる雇われ人か、どちらの発想で経営者という地位をとらえるのか？　その答えが敵対的買収に対する防衛のあり方に少なからず影響を与えることでしょう。

†会社の金融資産は本当に株主のものか？

最後にもうひとつ、本質的な疑問として第六章の最後で触れた、

「会社が長年にわたって蓄積してきた富はすべて株主のもの、で果たしていいのか」

という問いについて考えてみましょう。終身雇用で年功序列を前提とし、長年安定的な取引先関係の下で蓄積されてきた会社の利益は、利益剰余金として株主資本の一部となり

配当可能な利益となります。商法上もたしかにこの利益剰余金は株主のものです。その富は現金預金や有価証券、不動産などの形となって会社が運用しています。

しかし、市場で株式を買い集めた人に「株主のものなので吐き出せ」と言われ、「はいわかりました」と配当してよいものでしょうか？　それによって会社の経営に全くタッチせずこれまでの企業価値創造に全く貢献していない人が大金持ちになるのはどうしても納得がいかないという感覚は、その会社の経営者や社員ならずとも多くの日本人が共有するものです。

会社の値段という観点からは、この理不尽さの原因は、

①株価が適正に会社の価値を反映しない状態に放置されていたこと、
②経営者が株価を適正水準に維持しなければ株主に申し訳ない、という気持ちできちんと投資家向け広報（ＩＲ）を行わなかったこと、
③そして最後に、そういう低い株価がおかしいと思わずに市場で売ってしまった無知な、あるいは無欲な株主投資家がたくさんいるためだ、

と説明しました。

それが資本主義のルール、知らないと損をするから気をつけて、というのがこの本が伝えたかった一番のポイントです。

しかし、それに対して**「日本の資本主義はそういうルールで運営されていないのだ」という反論はありうる**と思います。

どうしても納得のいかない日本人は、この富を誰のものだと思っているのでしょうか？おそらくその富の蓄積に貢献したすべてのステークホルダーのものだ、というのがその答えでしょう。会計上配当可能な利益として計上されつづけ、それを配当することをずっと株主が要求してこなかったのにはそれなりの理由があるはずです。その理由とは、「会社にはいいときも悪いときもある。今は順調で利益が想定以上にあがっているが、いずれ厳しいときが来る。そのときに備えて会社の中に留保しておきなさい。厳しいときが来たらそれを使って社員の生活を支え、取引先を支援してもらって構わない。株主は長期的に安定した配当さえあればよいのです」

という徳のある株主と徳のある経営者の間の暗黙の了解ではないかと思います。

終身雇用を暗黙の前提として足元の給料やボーナスが増えなくても、それは将来への蓄えとして文句をいわず黙々と働き続けた社員、長期安定的な取引が何より重要だからと製品の値段の引き上げ交渉を厳しくしてこなかった下請け会社、等々、いちいち契約書にして残さずお互いの信頼関係ですませている世界が日本には結構多くあります。会社の永続的発展を願ってがんばってきた歴代の経営者は、そういった暗黙の了解事をきちんと守り次世代に伝えてきた、株主もそういう了解で長期に安定していて株価が高いか安いかにあまり気を奪われずに株式を保有し続けた、こういう言い分は多くの性善説的日本人にあるのではないでしょうか。

そこに突然やってきた株主が、

「そんな約束事は俺の知ったことではない。契約書になっていないなら社員や取引先を守る義務はない」

と言い放ったとしたらかなり感じが悪いですね。昔風にいえば村八分、二度と社会の輪の中に入れなくなっても不思議ではありません。

自然災害の多い国土で皆が助け合い、不作や飢饉《ききん》にそなえて備蓄を怠らない農耕民族的国民性が日本にはあり、その延長上で株式会社という仕組みをとらえている日本人は多くいます。それが間違っていると言う権利は、米国にもだれにもありません。

しかし、同時に国の市場を海外に開放し、自分たちも海外の市場にたくさんの製品を輸出して外貨を稼ぎ、国際社会で名誉ある地位を占めたいと憲法に謳っているのが日本という国なのですから、**外から入ってきた人に自分たちの考え方、やり方をきちんと説明する**

のが礼儀であり務めです。それを怠《おこた》りながら、商法の規定に従って権利を主張する人を村八分にするのはフェアなやり方とはいえません。そんなことをしたら、日本が世界から村八分にされても仕方がありません。つまりこのケースでは、もし日本人同士の信頼関係に基づく暗黙の約束があるのなら、それを無視して入ってきがちな金儲け目的の株主投資家に対して、

「この会社はそういう風に経営していませんので、それが気に入らなければ株を買うことをお奨めしません」

とはっきりさせていない点に問題があるのではないかと思うのです。

はっきりさせる方法はあります。もし会社の余剰資金がそれぞれのステークホルダーのために備蓄している資金なのであれば、「引当金」として財務諸表に載せてしまうのがベストです。その引当金は会社がステークホルダーに対して負っている債務（預かり金）となって、その分だけ利益剰余金が減りますから投資家も勘違いしなくて済みます。財務諸表に明記するところまではしないとしても、余剰利益を配当せず投資にも回さないという経営の意思をはっきり持っているのであれば、その決断をする理由をIR活動、自社の経営理念等で公表する責任を経営者は負っています。まさにこれが**説明責任（アカウンタビリティ、accountability）**です。それでも株を買い集めて配当を要求する株主が出てきたら、

株主総会に提案を出してもらい、自分の経営理念、経営哲学が株主の信任を得ているか多数決で株主に決めてもらう、そう開き直るのもひとつの方法ではないでしょうか。

小泉首相が郵政民営化という自己の政治信条を貫くべく、国会での法案否決に際し衆議院を解散して直接国民に信を問う、という手段に出て選挙で大勝しました。信念を持ってスジを通す人が好きな日本人は結構多いことを、私自身再認識させられた出来事でした。「どうせ株主に正しい判断などできないのだから」と言い放つ独善的で傲慢な経営者や、問題を先送りして自分が退職金を貰うまでのことしか考えていない経営者にうんざりしている日本人投資家も結構いるに違いない、私はそこに日本的資本主義の将来を期待しています。

第五章で、企業価値計算の例として出した松下電器産業は一・二兆円もの現金同等物をバランスシートに持っていて、実質無借金でした。トヨタ自動車が九兆円の利益剰余金を持ち七兆円の金融資産を保有し「トヨタ銀行」といわれているのは有名な話です。日本を代表するグローバル企業であるこの二社は、おそらく海外の機関投資家から、「余剰資金は抱え込まずに株主に配当せよ」というプレッシャーを常に受けていると思います。それでも両社はこの形を基本的に変えていません。

実際に説明を聞いたわけではありませんが、両社の経営陣は一〇万人を超えるグループ従業員や下請け部品会社等の取引先、全国を網羅する販売店網が安心して仕事に打ち込める財政的バックアップを持つことが長期安定的に事業を発展させるために必要である、優秀な従業員を採用し厳しい労働環境の下でも士気高く働いてもらうためには、家族含めて老後の生活まで心配のいらない財務基盤を持つことが必要である、つまりこれらの余剰資金がすべて株主のものだとは考えていない、という経営意思をはっきり伝えているのだろうと想像しています。

日本的なやり方だからグローバルなビジネス社会で通用しない、と頭から思い込む必要はありません。日本人にしかわからない世界だという島国根性で説明をきちんとしないから、批判されたり狙い撃ちされたりするのです。資本主義のルール、会社の値段算定の基本公式を逸脱した世界でトヨタや松下はビジネスをしているわけではありません。その土俵に乗った上で、堂々と日本的経営や資本政策を実行し、きちんと結果を出して投資家の信頼を勝ち得ています。

おわりに——投資家が形作る国と社会

企業価値とは何か、誰が創造するのか、そして資本主義経済体制の下で株式市場やM&Aを通じて、経営者はいかにして評価されるべきなのか、という素朴な疑問について、さまざまな事例を通じて考えてきました。

そこに見えてくるのは、上場会社の経営者たるもの、理不尽だと思われる買収や株主提案に対しては正々堂々正面から受けて立たねばならない、という自由市場の掟です。経営陣の保身を助ける法制度はありません。自らの経営理念、戦略、中長期の計画をきちんと株主に開示し、株価を適正水準に保つ努力をきちんと行い、最後は株主の多数決に身を委ねる。会社経営者の取るべきスタンスはこれに尽きる、といっても言い過ぎではありません。

「中長期的な視点も含めて、会社の価値を最も高めるであろう人が、経営者となるべきだ」

という意見に異論のある人はいないでしょう。ではその判断は、株主以外の誰が、より「正しく」行い得るのでしょうか？　国や行政、中立的な第三者機関がどの会社の経営者に誰がふさわしいかを決めるというやり方が、うまく機能するでしょうか？

国家経済型の旧ソ連や中国は、そうやって中央官庁のエリートが経営陣を決めるやりかただといえます。国営企業では、「公共の利益」に配慮した経営判断が求められることもあり、公務員として地位をまもられた人を経営陣として行政が任命します。しかし、これらの方法が経済の効率化活性化につながりにくい、ということは歴史的に証明されています。エリートだから人格・識見・能力ともに申し分ない人ばかりで理想的な経営ができるだろうというのは理想郷の幻想にすぎず、現実には難しいのです。

皆が自由に参加できる株式市場に投資家として参加する人々が、株価という形で会社の値段決めをすることによって、経営者を選別し淘汰する。これが資本主義経済体制を選択した国の基本ルールです。残念ながら、自由に出入りする株主投資家は、どうしても目先の利益で経営の良し悪しを判断するので、経営も短期的視点に振り回されがちになります。真の優秀な経営者選びの場であるはずの株主総会も、形骸化して他人まかせになったり、目先の数字や風評だけでばっさりダメ出しをしたりしがちです。スポーツチームの監督が、

「三年計画でチーム作りをしなければならないときでも、オーナーは一年で結果を求める」とぼやくのと同じですね。そういう厳しい目にさらされ、目先の結果を求められ、かつ危機対応で神経をすり減らす、上場会社の経営者というのは、苦労の絶えない大変な仕事です。

それでも、人格・識見・能力とも素晴らしい人材がどんどん経営者になりたいと名乗りをあげ育ってゆく国こそが、本当に強い国なのだと思います。トヨタ、キヤノンのように、短期の利益をあげるのみならず、中長期的に持続する成長を達成し、国際ビジネス社会で尊敬を集める会社を、日本はたくさん生み出してきました。経済的な豊かさにおいて欧米に追いついた後も、そんな日本であり続けるにはどうすればよいのでしょうか？　賢く正しい判断のできる投資家がたくさんいて、その投資家が安心して参加できる透明でフェアな市場がある、そういう国づくりを日本は目指すべきではないかと思います。いい投資家層のいないところにいい経営者、いい会社は育ちません。

日本人の勤勉さ、学習能力の高さ、約束を守る律儀さは世界有数です。そして、個人金融資産一四〇〇兆円というとんでもない金額の資産が、すでにこの国には形成されています。これだけの資産があれば、大きくて懐の深い投資家層が作れるはずです。

しかし、二〇〇五年六月時点で、日本の個人が持っている金融資産のうち株式や出資金は、一二一兆円と一〇%にも満たない割合です。残りは預金として預けて銀行に代わりに投資（融資）してもらう、郵便貯金や国債を通じて国に投資してもらう、保険や年金の形で蓄えて保険会社などの機関投資家に代わりに投資してもらっている、これが日本人の投資姿勢の現状です。

「株の世界はよくわからないし、失敗すると損をする。銀行や国に預ければ少なくとも元本は保証されているから安心」

これが戦後の日本人の多くが持っている投資姿勢です。リスク回避型、ローリスク・ローリターン、というスタイルですね。これで構わない、というのはひとつの生き方ですから非難するつもりは全くありません。しかし、そういう投資スタイルを自分で決めたのであれば、それとは違う投資スタイルで外資ががっぽり儲けたり、ハイリスク・ハイリターンでベンチャー企業の若者が大金持ちになる姿を見て、憤ってはいけません。元本保証だから安心、と預けていた金が、銀行の不良資産処理に使い込まれたり、政治家が既得権益層への利益誘導で、郵貯や国債や年金の資金を使って、無駄な道路、コストの高い橋やリゾートホテルを作らせたりする現実に腹を立てるのはいいのですが、有り余るほどの資金を彼らに提供しているのは、実はローリスク・ローリターンで構わない、と投資活動を他人任せにしている自分自身だということを自覚すべきでしょう。

それに加え外資やベンチャー企業の若者が大金持ちになるのに眉をひそめながら、「それなら俺もひともうけしたい」と邪念を起こす中途半端な投資姿勢でいると、結局一番高値で株をつかんで損をする役回りを演じることになります。投資価値が安値に放置されている時にはそれで構わないと言い、それがどんどん値上がりし始めると悔しくなり遅れて参加する、これはローリスク・ローリターンの投資姿勢ではありません。お人好しで付和雷同なお金持ち、ネギをしょったカモにすぎないのです。

バブル時代に投資で失敗し、他人任せの資金運用が無駄や非効率を生む元凶となっていることに気づいた多くの日本人が、

「自分の資産をどう運用するか、どう投資すべきかをもっと真面目に考えなければ、日本という国そのものがおかしくなる」

という意識を持ち始めています。一四〇〇兆円、気が遠くなるような金額です。これを日本国民は持っているのですから、その資金をうっかりと騙し取られないように投資価値の算定手法を学び、投資先を真面目に考える習慣を身につけることは、「持てる者のたしなみ」です。そうすれば、国際金融の世界でも日本国民は恐ろしいパワーを発揮するでしょう。

個人ひとりひとりが責任ある投資家という形で判断し行動するのは現実的には難しい、

というのはよくわかります。そうであればプロのファンドマネージャーにその思いを託すことができます。投資顧問会社や証券会社はさまざまなタイプの株式投資信託を作って個人投資家の資金を集める競争をしています。

「環境に配慮している会社を選んで投資するファンド」

「経営の透明度が高く企業統治のしっかりした会社のみに投資するファンド」

「キャッシュリッチで財務体質がいいのに株価が割安な会社を狙うファンド」

アイデアはいくつでもあります。試しにインターネットで「エコファンド」を検索すれば、環境問題に配慮した会社や環境ビジネスに力を注いでいる会社に投資するファンドがたくさん見つかるはずです。個人の投資家はその中から自分の投資方針に合うものを選べばよいのです。

日本は有り余るほどの富を蓄積してきました。同時に、世界に誇れる優良会社をたくさん輩出してきました。日本の富は国の膨大な財政赤字と米国の財政赤字を埋めるために両国の国債投資に使われ、その一方で、日本の優良会社は外国人持ち株比率がどんどん上がってくるとしたら、これは何かが間違っていると思います。勤勉な日本人が蓄積した富は、その日本人の判断によって志の高い会社に投資され、人材育成、技術開発を通じてより元気で豊かな世の中作りを担うべきでしょう。米国はいろいろな問題を抱えながらも、マイクロソフト、シスコシステムズ、スターバックスコーヒーにヤフー、アマゾン、グーグル、等々新たな領域を切り開く会社を生み出しグローバル企業として成長させてきました。日本の投資家も、そういった会社をどんどん生み出し育ててゆく原動力として力を発揮できるはずです。

不動産バブルの崩壊、ネットバブルの崩壊を経て、そろそろ投資家としての真価を発揮する時期がやってきました。単なる米国の後追いではなく、バランス感覚と和の精神を持った資本主義の新しい形は、巨額な資金を持つ日本国民がそれを主体的意思を持って動かし始めるときに姿を現すのではないか、それは環境問題にも配慮し、長期的な社会発展のあり方を熟慮した投資スタイルとして、国際社会の模範となりうるのではないか、と私は秘かに期待しています。

二〇〇五年十二月

森生　明

※本書についてのご感想ご意見等は、以下にお寄せいただければさいわいです。

am@mrojapan.com

ちくま新書
581

会社《かいしゃ》の値《ね》段《だん》

二〇〇六年二月一〇日 第一刷発行
二〇二三年四月二〇日 第一一刷発行

著者 森生明（もりお・あきら）

発行者 喜入冬子

発行所 株式会社 筑摩書房
東京都台東区蔵前二-五-三 郵便番号一一一-八七五五
電話番号〇三-五六八七-二六〇一（代表）

装幀者 間村俊一

印刷・製本 三松堂印刷 株式会社

ISBN978-4-480-06289-5 C0234

358 長期停滞　金子勝
現在の日本は大恐慌期以来の七〇年ぶりの世界同時不況の真っ只中にある。小手先の政策はもはや通用しない。歴史考察を通じて「信頼」回復の道を説く注目の書。

405 優しい経済学——ゼロ成長を豊かに生きる　高橋伸彰
経済成長に依存しなくとも、分配のしくみを変えることによって「豊かさ」は実現できる！　競争ではなく協力の視点から「優しい経済社会」を構想する。

441 賃金デフレ　山田久
黙っていても給料が年々上がった時代は今や昔。導入が始まった成果主義も、賃下げの異名との声すらある。まず経営改革ありきの立場から、賃金の行方を展望する。

446 会社をどう変えるか　奥村宏
会社なしには現代社会は維持できないが、その信頼は失われつつある。変革の試みを歴史的に検証し、法人資本主義でも株主主権でもない理想の会社の条件を考える。

447 エコロジカルな経済学　倉阪秀史
これまでの経済学は、環境問題を扱うには不十分だった。この限界を乗り越え、経済と環境との両立を目指し、実効性ある処方箋を提示する。新しい経済学の誕生だ。

476 経済敗走　吉川元忠
円とドルの間で繰り広げられる為替ゲーム。それを背後で操る意思とは何か？　九〇年代日本経済の軌跡をたどり、米国に敗け続ける経済構造に陥った元凶を抉り出す。

516 金融史がわかれば世界がわかる——「金融力」とは何か　倉都康行
マネーに翻弄され続けてきた近現代。その変遷を捉え直し、世界の金融取引がどのように発展してきたかを整理しながら、「国際金融のいま」を歴史の中で位置づける。

ちくま新書

002 **経済学を学ぶ** 岩田規久男

交換と市場、需要と供給などミクロ経済学の基本問題から財政金融政策などマクロ経済学の基礎までを現実の経済問題にそくした豊富な事例で説く明快な入門書。

065 **マクロ経済学を学ぶ** 岩田規久男

景気はなぜ変動するのか。経済はどのようなメカニズムで成長するのか。なぜ円高や円安になるのか。基礎理論から財政金融政策まで幅広く明快に説く最新の入門書。

512 **日本経済を学ぶ** 岩田規久男

この先の日本経済をどう見ればよいのか？ 戦後高度成長期から平成の「失われた一〇年」までを学びなおし、さまざまな課題をきちんと捉える、最新で最良の入門書。

458 **経営がわかる会計入門** 永野則雄

長引く不況下を生きぬくには、経営の実情と一歩先を読みとくための「会計」知識が欠かせない。現実の会社の「生きた数字」を例に説く、役に立つ入門書の決定版！

459 **はじめて学ぶ金融論** 中北徹

複雑な金融の仕組みを、図を用いてわかりやすく解説。情報の非対称性、不良債権、税効果会計など、基本から最新のトピックを網羅。これ一冊で金融がわかる！

559 **中国経済のジレンマ**――資本主義への道 関志雄

成長を謳歌する一方で、歪んだ発展が社会を蝕んでいる中国。ジレンマに陥る「巨龍」はどこへ行くのか？ 移行期の経済構造を分析し、その潜在力を冷静に見極める。

561 **産廃ビジネスの経営学** 石渡正佳

不法投棄をはじめとする裏ビジネスを経営学的なアプローチから分析し、それらをベンチャーに転化する処方箋を示す。現役公務員による画期的なアウトロー対策論。